최진태의 디카시 산책

디카시로 통영을 담다

최진태의 디카시 산책 디카시로 통영을 담다

발행 일자 - 2024년 5월 24일

지 은 이 - 최진태
기 획 제 작 - 최진태
e - m a i l - gi7171gi@naver.com
Naver 카페 - 부산요가명상원
Naver블로그 - 부산 요가 명상원
Naver Band - 부산요가 명상원
전 화 번 호 - 010-8533-1561

편   집 - 이재철
발 행 처 - 도서출판 흐름
등록번호 - 제399-2023-000027
등록일자 - 2023년 3월 22일
주   소 - 경기도 남양주시 화도읍 비룡로 186
전   화 - 010-5257-1254
이 메 일 - ejc1057@naver.com

I S B N : 979-11-982864-4-4
가   격   19000원

최진태의 디카시 산책 디카시로 통영을 담다 2024년

《시인의 말》

어느 순간 나의 시가 느슨해지고 산문화 되어가면서 긴장미가 떨어지고 난삽해지는 듯한 자책감에 빠질 때가 있었다. 요설(妖說)이 어지럽게 춤추는 세상에서 감정의 절제와 깊은 사유 속에서 우러나오는 정제된 시어(詩語)의 깊이가 더 절실해졌다.

그러다가 극도로 달이고 달인 소금 또는 진신사리 닮은 짧은 언어 속에서 깊은 침묵과 긴 울림을 주는, 찰나 속에서 영원을 추구하는 짧은 시를 쓰고 싶다는 욕구가 불현 듯 일어났다. '하이쿠'에도 빠져 보았고, 시조의 종장 형식만으로 쓰는 '넉줄종장시'에도 몰입해 보았다. 자연스레 디카시를 접하게 되었고 어느 날부터 디카시에 푹 빠져 있는 자신을 발견하게 되었다.

"순간적인 명상과 압축된 언어로 병치된 디카시는 시의 본질에 해당하는 즉흥성, 의외성, 순간성, 응축성 등이 고스란히 담겨있는 것이다. 디카시는 언어로 못다 드러낸 여백(사물)마저도 오히려 시적이게 한다는 점에서 더욱 매혹적이다"라고 디카시를 창시한 이상옥교수는 말하고 있다. 사진과 시가 서로의 상보성에 의해 멀티 예술로서 탄생되는 순간이다. '디카시는 언어만으로 표현하기 어려운 부문을 사진이 담당하고, 사진이 담고있는 시적인 요소를 사유로 이끌어 주는 짧은 언술이 결합된 형태'라는 말이다.

저자가 근 20년째 케렌시아(querencia)로 긴요하게 활용하고 있는 '운형산방'이 위치한 곳이 통영이다. 통영대교 근처에 산을 등지고 앞에 보이는 바닷가를 배경으로 앉아있는 허술한 토담집 이기는 하지만, 저자에게는 뒤늦게나마 문학적 음악적 미술적인 예술성과 사유와 성찰의 명상성을 불러 일으켜 준 곳이기에 더없이 애착이 가는 곳이기도 하다. 그 사이 통영근교 섬에 심취하여 섬 탐방을 하다 아예 연대도 섬에 거처를 두고 근 10여년간 머물기도 했다[그뒤 비록 <에코랜드 연대도 연가>(도서출판 한글,

2014.2) 시집 한 권 달랑 남기고 철수 했지만]. 이래저래 통영은 저자와 끈끈한 인연을 맺고 있는 곳이다.
이렇듯 특별한 의미가 있는 통영에 깃든 추억과 스토리텔링을 글로 남기고 싶었다. 동양의 나폴리, 예향의 도시라 불리는 통영은 '눈에 띄는 모든 풍광이 시(詩) 그 자체'라고 말할 수 있기에 말이다.

사진 한 장과 다섯줄 이내의 짧은 시 한편으로 시와 나의 삶이 서로를 따뜻하게 안아주고 조응하는 모습을 본다. 선인들은 '시서화(詩書畵)' 삼절(三絶)을 선비정신의 표상이고 문인으로서 갖추어야 할 덕목이라고 했다지만, 사진이 곧 그림이 되고 시가 되며, 시가 곧 그림이 되고 사진이 되는 융합과 통섭의 세계가 디카시 안에 있다는 말에 전적으로 공감한다. 디카시로 인해 일상이 예술이 되고, 예술이 일상이 되는 현상을 경험하게 될 줄이야. 시인이 되고 예술가가 되고 수행자가 된 것이다.

부족하지만 이런 열정을 쏟아 낼 수 있도록 기꺼이 '운형 최진태 시인의 디카시 산책'이라는 코너의 지면을 할애해주신 '한산신문' 관계자 여러분들께 감사 말씀을 전합니다.

                2024.5

한려수도 코발트 빛 바다의 윤슬 풍광을 바라보며,
운형산방 해월정(海月亭)에서
-시인·문화칼럼니스트 최진태

목차

디카시로 통영을 담다

소녀의 기도

가장 깨끗한 손 모아
땅의 마음 하늘의 마음에
닿아보고 싶다
세상이
더 순하고 더 넓어지도록

[시작(詩作)노트]

비가 오려는 듯 잔뜩 찌푸린 한여름날 넝쿨마 줄기가 바람에 휘날리다 어느 순간 무릎 꿇고 두 손 모은 채 누군가를 위해 간절히 기도하고 있는 소녀의 모습으로 다가온다. 어디선가 환청처럼 바다르체프스카의 '소녀의 기도' 피아노 소리도 들려오는 듯 하다. 소싯적에 높은 담장 너머로 새어나오던 아득한 바로 그 소리가.

《소녀의 기도》

내 생명의 일부를/하늘빛 찻잔에 담아내는/나눔과 베품의 삶/남을 위해 '기도하는 손'은/내가 순하고 작아져야만 이룰 수 있다.

먼저 낮추고/먼저 끌어 올려주고/먼저 섬기는 손

매일 매일의 삶이 안겨주는/기쁨과 슬픔 희망과 절망 속에서/아직 비어 있는 가난한 마음의 항아리들

가난해서 더 뜨거운/우리의 가슴속 솟대 위에/생명의 불을 밝힐 수 있는/그 열기 하나로/차디 찬 땅을 데울 수 있다면/그리하여/마침내 한 점 별로 뜰 수 있다면

온 몸으로 밀고가리라/티벳 성자의 오체투지 자세로/가까운 길도/멀리멀리 돌아가리라/먼 길도/가깝게만 느껴지리라/흐르고 또 흐르는 세월의 강물 속으로/모든 것 허망하게 다 떠내려가도/오직 변치 않는 그 무엇하나 부여잡고

고독하지만 깨어있는/순례자로서의 길을/갈 수 있기를/소망하고 간구하는/ '기도하는 손' 되게 하소서

오월 단상

빛바랜 화분
추억을 소환하네
번지는 미소
보물처럼 안고 다니는
무지개 빛 동심의 시간

*근 20여년 전 어버이날. 딸 아이가 선물한 화분
(심겨진 식물은 바뀌었음)

[시작(詩作)노트]

"우연히 눈길 가서 유심히 들여다 본/
빛바랜 꼬마 화분 눈망울 초롱초롱/
심겨진 식물일랑은 바뀐지가 오래지만

큰여식 초딩 시절 어버이날 사들고 온/기억도 가물가물 옛일을
더듬다가/가슴이 찌르르하여 휴대폰에 손간다

제 아이 귀염짓에 세월을 잊었으랴/
칠년을 혼을 빼고 칠십년 우린다네/
그것이 부모의 숙명 천륜이란 그런것."

워즈워드는 '아이는 어른의 아버지'라 했다. 수운 최제우의 '인내
천(人乃天)', 즉 인간이 곧 하늘이라는 말을 빌린다면 따라서 어
린이는 곧 하늘인 것이다. 온 세상이 푸름으로 덮힌 오월의 하늘
처럼, 우리 모두의 몸과 마음이 저 천진무구한 아이들처럼 푸르
를 수 있기를 기원해 본다. 미래를 이끌 아이들의 해맑은 눈을
응시하며 내면의 에너지를 서로 나누어 보는 시간을 가져보는
것도 좋을듯하다.

나 아프게 하지마

저 한려수도 펼쳐진 보물지도
누가 숨겨놓았나 비밀의 코드
천년을 자맥질 해도
다시 솟아 오르는
생명의 젖줄

[시작(詩作)노트]

비온 뒤라 쪽빛 한려수도 물결이
한결 더 눈부시다.
바둑판 같이, 학익진 같이 펼쳐진 하얀 빨간 부표들 사이로
통통 배 지나 다니는 풍경 장엄하다.
때가 되면 굴이랑 멍게랑 조건없이
선사하는고맙고 넉넉한 바다.
축복받은 우리네들 더 아끼고
더 보호하고 더 사랑해야겠다.

글쎄

거울아 거울아

내 안에

나를 보려면

어떤 거울

봐야 돼?

[시작(詩作)노트]

사각거울 둥근거울 손거울 볼록거울
오목거울 소형거울 대형거울
거울의 종류가 많기도 하다.
그많은 거울 중에서 나의 본성(本性)을, 참된 나(진아 眞我)를
볼 수 있는 거울은 어떤 거울일까?
자칫 들뜨기 쉬운 계절의 길목에서 바쁜걸음 조금 늦추며 따뜻
한 차한잔 앞에 둔 채, 잠시라도 자신을 고요히 대면해보는 시간을
가져보는 것은 어떠할는지요?
나는 누구인가? 나는 어디로 가고 있는가? 심호흡과 함께 존재에
대한 물음을 스스로에게 던져보고, 관조해 보는 사유와 성찰의
시간이 때론 필요하지 않을까?

어무이

감히
내 새끼들을
누가 건들여
여민 베적삼
결기로 똘똘

[시작(詩作)노트]

동서고금을 막론하고 모성애는 숭고하다. 나는 못 먹고 못 입고 못 배워도, 내 자식만은 배불리 먹이고 좋은 옷 입히고 많이 배우게 하고픈 소망, 새벽이슬 맞으며 정안수 떠놓고 두 손 모으시던 뒷 모습, 시대는 변하여도 변하지 않는 절대적인 사랑이 존재한다. 창조주는 지구상에 신의 모습을 시현하기 위해 '어머니'를 보내 주었다는 말에 공감한다.

여리고 어수룩 하고 남에게 싫은 소리, 큰 소리 한 번 못낼 것 같은 분이 어느 날 동네 아이들에게 따돌림 받고 눈물 콧물 훔치며 집에 들어서는 아이의 손을 잡고 나가, 눈부릅 뜨며 온 동네가 떠나갈 듯이 목청껏 일갈하는 외침이 들리는 듯 하다.

아, 어무이!

부부

막 험담하다
막상 남이 하며는
막 화가 나는

[시작(詩作)노트]

인류를 사랑하는 것보다 가까운 사람 사랑하기가 더 어렵다 한다. 제일 만만해도 제일 두렵기까지, 가장 가깝다가도 가장 멀다는 생각까지 드는 묘한 사이, 그래도 이 몸이 환희롭던 그대가 고통받던 함께 지고 함께 헤쳐가야 하는 사이, 천년 약속 '사랑나무'엔 지고지순 '눈물방울'이 필요한 걸.

반려식물

지금이 딱인데
아끼면 뭐 된다고들 하지
오늘도 눈으로 땄다 부쳤다
차라리 정 주지 말것을
유행가 가사가 햇살처럼 꽂히는 아침

[시작(詩作)노트]

5층 콘크리트 마당 위 화분에 모종 심었더니, (그것도 다른 식물 옆에 셋방살이로) 꽃 피우고 열매 맺더니 어느새 훌쩍 커서 성숙한 한 알의 오이가 되었다. 꼭 한 아이를 키우는 느낌이다. 오며 가며 눈 맞추며 교감하던 사이, 그냥 두면 늙은 오이가 되던가 낙과해 버리고 말 텐데 하면서 차일피일 미루고 있다. 차마 범하지(?) 못하고 있다. 그냥 저 대로 딱 멈추게 할 수는 없을까? 귀엽던 아이가 점점 미운 오리 새끼가 되어 커가는 모습을 보는 듯해서다.

물속 삼매(三昧)

네가 이기나
내가 이기나
아무리 더워도
나의 수행 열정을
어찌 막으리오

[시작(詩作)노트]

연일 열대야가 계속된다. 무더위를 식혀줄 시원한 장대비는 아니오고 감질나게만 한다.

용맹정진 수행하는 선승(禪僧)도 폭염앞에선 손을 드신 듯 한데,

간 떨어질 뻔

아 악
니가 왜 거기서 나와
역시 울울창창
울릉 숲답네

[시작(詩作)노트]

본격적 여름 휴가철에 접어들었다.

산으로 바다로 섬으로 강으로 계곡으로 수영장으로 어디든 뜨거운 햇살을 피할 그늘막과, 시원한 바람이 불어오는 곳으로 떠나고 싶은 충동이 바닷물처럼 넘실거리는 계절이다.

"열심히 일한 자 떠나라" 캐치프레이즈처럼 팽팽한 긴장의 일상 속에서 조금은 느슨해지고 조금은 해이 해지며, 조이고 당겼던 생명줄을 잠시나마 풀어놓고 싶어진다.

그간의 반복된 생활과 익숙한 것들에서 잠시 벗어나서 낯선 곳을 향해 떠나고 싶어진다. 컴퓨터나 모바일도 중간중간 비워줘야 제 기능을 발휘하지 않던가.

일상에 매몰된 감각을 쇄신하고, 인식의 눈부신 전환을 위해서라도, 지친 몸과 마음과 영혼에 휴식을 주어야 한다. 재충전의 시간이 필요하다.

어느 뜨거운 여름 휴가 날 울울창창한 울릉도 성인봉 등산길을 숨 헐떡거리며 오르던 시간, 심신이 지치고 힘들 때 한 해 내내 생기를 불어넣어 주었던 값진 기억이었음을 상기해본다. 성인봉 올라가는 길에서 깜짝 놀라며 아나콘타(?)를 만났던 순간을 생각 하면 지금도 입가에 환한 미소가 번져 온다.

-운형 최진태

희망 바라기

돌부리에 채인 채로
세상 끝 닿아본 적 있으신지요?
말라가고 타는 가슴
절망의 잉걸불 껴안은 채
견뎌낸 상흔들, 익어가고 있다

[시작(詩作)노트]

사는게 한 짐 가득 어깨죽지 무겁고/ 바람이 고단한 몸 흔들고 할퀴어도/ 희망한 점 키워간다오 한숨 한 번 내쉬며 장기간의 역질로 인하여 온 나라가 특히나 소상공인, 중소기업인, 영세민들의 한숨 소리는 점점 높아만 간다. 잠시 주춤한다 싶더니만 변이종 바이러스가 다시 고개를 든다는 사실이 모두를 긴장시키고 있다.

그간 숨통이 좀 트이나 싶었는데, 활기를 되찾는다 싶었는데 또 밀물처럼 걱정과 우려가 밀려든다. 그래도 '희망'이란 단어 하나 가슴에 담고 이 염천의 무더운 계절을 꾸역꾸역 이겨내 봐야겠다.

언젠가는 좋은 날도 웃을 날도 오겠지 하는 희망 한 줌 안고서.

속이 시커멓게 타들어 가다가도, 종래는 곱고도 귀한 흑진주를 알알이 잉태해 내는 해바라기의 저 환한 미소가 힘내라며 따뜻한 위로를 보내고 있다.

_운형 최진태

아, 숨막혀

넌, 내 거야

한눈 팔면 죽는다

나만 바라봐

*이것도 분명 사랑(?)이리

[시작(詩作)노트]

《 사랑 》 / 최진태

"함께 있되 거리를 두라. 그래서 하늘이 바람이 너희 사이에서 춤추게 하라"고 칼릴 지브란은 읊고 있다.

가까이 하면 아프고, 멀리하면 외로운 고슴도치의 딜레마. 어느 정도의 온도가, 어느 정도의 거리가 진정 우리에게는 적당한 걸까?

"여전하구나 천만번 불지펴도 진한 노을빛/그리워지면 팍 손 내밀 수 있는 딱 고만큼만/물러서 보니 보이지 않던 것들 이제 보이네"

한 가락에 떨면서도 따로따로 떨어져 있는 거문고 줄처럼 그런 거리를 유지해야 된다는 말일까?

고갈되지 않는 사랑의 에너지 비축을 위해서는 깊이 가까워진 만큼 넓게 멀어지는 또 다른 차원의 문화가 필요하다는 말일까?

"친한 사이를 평생 유지하는 사람은 함께 있는 시간, 함께 있는 거리, 함께

하는 공간의 조율사입니다" 박해조

시인의 싯귀가 주는 울림이 크다.

설렘

당신의 마음을 유혹하리라
차마 이 말은 못하겠소
대신 당신의 입맛을 유혹하리다
참 숯 불고기 맛으로.
여주인에게서 금목서 향이 났다

*금목서 꽃말: 당신의 마음을 끌다, 유혹하다.
　일명- 만리향

[시작(詩作)노트]

그간 거리두기로 적조했던 지기(知己)들을 오랫만에 만나 야외로 나가, 탁 트인 들판과 호숫가를 트래킹 하며 못다한 이야기도 나누면서 모처럼 활짝 웃어 본 날이었다.

어느덧 점심 시간인지라 우연히 들린 한적한 작은 도시의 '숯불 고기 까페' 정원에는 오래된 금목서 한 그루가 눈길을 끌며 일행을 반긴다.

예전 어디선가 본듯한, 곱게 나이 들어가는, 그러나 아직도 한 미모 간직한 여주인과 같이한 정갈한 음식 맛 또한 잊을 수 없다.

그날 일행들은 음식은 그 자체 맛뿐만 아니라, 어떤 분위기에서 누구랑 언제 어디서 어떻게 함께 하느냐에 따라 크게 달라짐을 새삼 체험했으리라.

쉬지않고 음식 하나하나에 전문적인 인문학적 소양을 뿜어내던 그 날 그 시간에 그 여주인의 미소와 열정 또한 아직도 눈에 선하다.

직접 장만했다는 밑반찬 하나하나의 스토리도 들으면서 부지런히 수저를 옮겨본 시간.

특히 그날의 백미는 그 '까페'의 유래를 듣는 순간, 일행은 빵 터지고 만다. 이게 바로 '캐치프레이즈 한 줄' 또는 '스토리 텔링' 의 힘이구나.

역시 "일류 마케팅은 일류 '스토리 텔링'을 입히는 과정"임을 실감한 날이기도 하였다.

자비 송(松)

내 피와 살을 주노라
금강의 몸매 지닌 그대
더없이 넉넉하고 더없이 푸근하다
우러러 볼수록 시려오는
그대가 하늘이다

[시작(詩作)노트]

절집을 지키고 있는 금강송 한 그루, 어디서 날아온 지도 모르는
이름 모를 나무의 씨앗을 몸 한 구석
선뜻 내어주며 살포시 품어 주었구려
이렇게 곱고 튼실하게 키워 냈구려.

어찌 내 몸이 힘들지 않으며,
어찌 내 것이 아깝지 않으며,
어찌 내 정성없이 클 수 있었으랴

내 몸의 피와 살 기꺼이 떼어주고 나누어주는 저 무량한 자비심
그대를 바라볼 때마다 무섭게
휘몰아 치던 태풍이 휩쓸고 간 후에, 한려수도 바다 물빛만큼이나
눈도 마음도 푸르고 시려온다

화엄세계를 보는듯 하여.

살사리 꽃

밀어(密語)들 만발한 황금빛 들판
분홍빛 연지 웃음 볼우물 곱다
그렁그렁 맺혀있는 푸른 그리움
그대 읽었군 밤새 쓴 연서들을
우주(cosmos)를 담는 눈이 시리다

*코스모스의 순 우리말

[시작(詩作)노트]

코스모스(comos)는 희랍어로 카오스(chaos, 혼돈)에 대응되는 말이다. 질서 정연함 또는 장식을 의미하며, 현대에 와서는 우주를 뜻한다. 우리말로는 가냘프면서도 곱다는 의미의 뜻이 담긴 '살사리꽃'이라 부른다.

멕시코가 원산지이며 1901년 선교사에 의해 우리나라에 유입되었다. 가련한 모양이 애잔해서 우리들의 가슴에 센티멘탈한 정서를 선사하는 여리고 고운 모습의 꽃이다.

코스모스는 신이 이 세상에서 제일 먼저 만든 꽃이라는 영광을 갖고 있으며, 순결하고 애정어린 우주의 마음이 담겨있는 꽃이다.

그렇다면 천지에 핀 코스모스 꽃잎 속에는 우주의 생명력이 넘쳐 흐르고 있을 듯 하다.

그러면 신이 제일 마지막으로 만든 꽃은 무엇일까? 바로 국화꽃이라고 전해진다. 사실 국화는 식물 중에서 가장 고등식물로 알려져 있으니 그럴듯한 이야기다. 물론 코스모스도 국화과의 식물이다.

몇 년 전 면 가방에 습작으로 코스모스를 그려 보았다. 가을 햇살 고운 오늘, 이 면 가방 들고 외출 한번 해볼까? '남자가 무슨' 한다면 덜 떨어진 사람, '아트'를 모르는 사람이라 무시할 것이다. 그리고는 우주적 감성으로 용감하게 행동해 봐야겠다.

박강순의 '가을은 참 예쁘다' 곡도 귀에 담아 가면서.

마지막 잎새

연모는 불꽃되어 푯대 끝에
나부끼던 선홍빛 저 몸살
끝내 혼절하다
그대 마음껏 *울게 하리라
내 품에 안기어서

*헨델, 오페라 <리날도> '울게 하소서'에서

[시작(詩作)노트]

한 해가 저물어 간다. 벽에 걸린

한 장의 달력이 달랑거린다. 마지막 잎새의 울음소리 한 가득 들려올 듯 한 겨울산 끝자락에서 문득 찾아온 단풍잎 하나, 색깔 한번 시리도록 붉다. 그 시선 너머로 묻어나는 보내고 떠나야 하는 것들의 절절한 눈빛, 다하지 못한 못내 아쉬운 회한들. 무게로부터 자유로와진 저울을 꿈꾸던 세상에 안겨 이제는

한 세월 참고 참은 복받친 통곡이라도 한번 할까?

아니다 지금은 끊임없이 채우려고만 했던 온갖 욕망의 꾸러미들, 그리고 희노애락의 숱한 언어들 훌훌 털어 버리고, '비우는 것 만으로도 자신을 온전히 지킬 줄 아는' 겨울나무의 지혜를 배워야 할 시간이다.

이 이 계절에 시인의 눈에 들어온 건 단지 우연이었을까? 통나무 속 박제된 한 잎 단풍은 '그대 삶, 한 세상 나만큼 진솔했느냐'고 묻고 있다.

성탄

소망의 등불 켜고
가슴에 두 손 모아
거룩한 밤 고요한 밤 축복송
사랑 꽃 몸소 나투신
님의 탄생 경배 드리오

[시작(詩作)노트]

구세군 사랑의 종소리가 딸랑딸랑 울려 퍼지고 있다.
하늘가 어디에서 아기천사들의 합창소리 들려 오는 듯

님의 은총 부디 낮은 곳 부터
부디 추운 곳 부터 쌓이길 바라오며
모든 이 마음 속에 사랑 씨앗 심으시어
|은혜로움 강물되어
가슴마다 넘치게 하소서
온 누리에 가득차게 하소서

성탄 전야 자정 미사 시간에
엄마 손 잡고 따라갔던 교회에서
꾸벅꾸벅 졸던 천진난만한
그 까까머리 꼬마 아이는,
구두쇠 스크루지 영화 보며 자랐던 주근깨 투성이의 순진무구한
그 여자 아이는,
지금 어디 쯤 있을까?

올해 성탄절은 함박눈 펑펑 쏟아지는 화이트 크리스마스가 되었
으면 좋겠다.
그리하여 온 천지가 온 세상이
맑고 깨끗한 순백의 영혼으로 하얗게 덮혀질 수 있기를 기원해
본다.

메리 크리스마스!

팬데믹 이후

웃으면 복이 들어 온다지
헌데 조금만 더 웃으면
눈물이 들어올 것 같다
아, 옛날이여
그래도 비긴 어게인!

*팬데믹(pandemic):세계적으로 전염병이 대유행하는 상태
*비긴 어게인(begin again):새 출발
*수석명(壽石名):'스마일', 매물도 산(産)

[시작(詩作)노트]

취업자의 30%를 웃돌던 자영업자 비율이 급격하게 줄어들고 있다. 대형마트 등에 밀려 해마다 줄어드는 추세였는데, 펜데믹 이후 더욱 휘청거리고 있다. 나홀로 사장님이 역대 최대로 늘어나는 등 자영업의 위기는 갈수록 심화되고 있다는 소식이다. "빛이 환할수록 그 그림자는 더 짙게 마련이다." "우리를 죽이지 못하는 것은 우리를 더 강하게 한다(What doesn't kill me, makes me stronger)"라는 니체의 말을 되새겨 본다. "삶의 노정에 언제 꽃길만 펼쳐질 수 있겠는가?" "비오는 날 없이 맑은 날만 계속된다면 오히려 땅은 사막이 될 것이다."라는 말 등으로 위로가 되겠나마는, 그래도 힘과 용기를 더해 '비긴 어게인', 다시 한번 분투하시는 모습, 응원드립니다.

통영의 봄날

강구안 선창가 함께 걷는 청마와 정운
베레모 눌러 쓴 중섭은 소달구지 몰고
대여랑 초정 돌멍게 껍질 술잔
부딪히며 권커니 자커니에 코발트 빛
바다위로 봄날은 익어간다

*청마(靑馬):유치환. 정운(丁芸):이영도, 대어(大餘):김춘수.
 초정:김상옥

[시작(詩作)노트]

|울퉁불퉁 멍게|

멍게하면 쌉쌀·달콤·향긋한 맛의 진수라는 말이 먼저 떠오른다. 통영 중앙시장, 서호시장 어판장엔 멍게가 손님을 기다리고 있고, 횟집마다 봄철 미식가의 미각을 자극하고 있다. 멍게 껍질을 까는 통영 인평동 천대마을 등의 박신장에서 여인들의 목소리로 떠들썩한 걸 보면 멍게철이 오기는 온 모양이다. 표면이 울퉁불퉁한 젖꼭지 모양의 돌기가 성장하면서 파인애플을 닮아 '바다의 파인애플'이란 애칭도 얻고 있다. 피낭의 상단에는 물이 들어오는 입수공(入水孔)과 출수공(出水孔)이 있어 물을 뿜어낸다.

원래 우렁쉥이가 표준어이고 멍게는 사투리이다가 한글 표기법 개정때 표준말로 인정받았다. 아니 요즘은 오히려 멍게가 더 통용되고 있다고 보아야 할 것이다. 멍게가 껍질에 싸여 물을 쏘는 모습에서 우멍거지라고 하였는데, 우멍거지는 남성기가 포경(包莖)일 때의 순수 우리말로써 차마 이 말을 쓰기가 민망해서인지 가운데 두 자만 추려서 사용한 선조들의 해학과 재치가 돋보인다.

'멍거'에서 편의상 '멍게'로 바뀐 형태라고 할 수 있다

꿈의 계절

무지개 빛 윤사월 어느 날
베르테르의 편지 읽는 소리
환청처럼 들려온다
보아라, 돌 속에서 피어난
내 청춘의 붉은 상흔을

[시작(詩作)노트]

자목련(紫木蓮)의 꽃말은 자연에의 사랑, 은혜, 존경이다. 자목련의 '목련'은 '나무의 연꽃'을 의미 한다. 이 꽃의 다른 이름은 자옥란(紫玉蘭)이다. 중국 원산의 자목련 꽃은, 겉은 진한 자주색이고 안쪽은 연한 자주색이다. 자목련이 어제 그제 피는듯 하다 추적 거리는 봄비에 그만 큰 잎이 하나 둘씩 땅위로 떨어지고 있다. 다른 꽃잎에 비해 유난히 크기가 큰 느낌이라 바닥에 뒹구는 모습들도 더욱 처연하게 느껴진다. '화무십일홍(花無十日紅)'이란 말이 여기에 딱 어울린다 할까.

이형기 시인은 《낙화》에서 "가야 할 때가 언제인가를/분명히 알고 가는 이의/뒷모습은 얼마나 아름다운가//(...) //무성한 녹음과 그리고/ 머지 않아 열매 맺는/가을을 향하여/나의 청춘은 꽃답게 죽는다//(...)//샘터에 물 고이 듯 성숙하는/내 영혼의 슬픈 눈"이라고 읊고 있다.

노자의 도덕경에 공수신퇴(功遂身退)란 말이 있다. '공을 이루면 몸을 물린다'는 뜻이다. 여섯장의 꽃잎을 지닌 자목련은 열매를 맺을 수 있도록 짧은 생애를 마감하고 자신의 삶을 내려놓고 있는 것이다.

모든 존재는 언제나 죽게 된다. 온전히 내 것이라고 생각했던 나 자신과도 언젠가는 이별을 하게 된다.

우리는 살아가면서도 매 순간 순간 나 자신과 부단히 이별을 경험해 가고 있다.

소매물도 등대

파도 위에 '도덕경' 펼쳐 놓은 채
오늘도 비움의 철학 설하고 있다
헌데 무엇을 비우라 하시는지요?
창공의 구름 한 조각
씽긋, 염화시중의 미소 짓는다

[시작(詩作)노트]

노자는 도덕경에서 "학문을 하면 날로 보태는 것이고, 도(道)를 하면 날로 덜어내는 것이다. 덜고 또 덜어서 함이 없음 무위(無爲)에 이르면 함이 없으면서도 하지 못하는 것이 없다."고 말하며 다투지도 않고, 소유하고 집착하지도 않고, 자랑하지도 않고, 탐내지도 않음을 실천하여야 한다고 강조한다.

기독교적 표현으로는 내 안의 온갖 주견을 비운 뒤, 내 뜻이 아닌 하늘의 뜻에 따른 성령의 도구로 온전하게 쓰이는 가운데 범사에 감사하는 성령 충만의 삶을 사는 것이다.

정목스님의 "우린 누구나 자신의 삶 속에서 비움으로써 충만해지는 경험을 하며 살아갑니다. 찻잔은 가득 차는 순간 비워지고, 달은 차면 기울기 마련입니다. 봄 또한 생명으로 터질 듯 가득해지면 찻잔을 비우 듯 가을과 겨울이 모든 것을 비워버리지요. 인간의 생각도 그렇게 채워졌다 싶으면 비워지고, 왔다가 사라지는 것의 연속입니다."라는 말을 떠올리며 비울수록 가득해지는 풍요로움, 그 비움으로 인해 저절로 가득해지는 충만감을 맛볼 수 있기를 기원해 본다.

소매물도 등대는 오늘도 이 무위자연(無爲自然), 비움의 철학을 묵묵히 몸소 실천하고 있다.

한산대첩

일장검 짚고 서서 호령하던 그 목소리
학익진 장엄하다 임진년의 대서사극
풍전등화 조국 운명 몸바쳐 지켰어라
살았구려 죽었어도
거북등대 불빛 속에 숨어드는 님의 숨결

[시작(詩作)노트]

한산 바다 거북전선
적의 탐욕 응징했고
명량 바다 열두 전선
배달 불꽃 되살렸네

노량바다 차가울 제
하늘두고 맹세했네
이 원수를 다 갚으면
아무 여한 없겠다고

영웅으로 태어나서
성웅으로 돌아가니
거룩하다 님의 생애
죽었어도 살았도다!

/김종대, '충무공에게 바치는 헌시'

큰 바위 얼굴

무심히 지나치던 바위에 눈길 가자
앗, 참선 도량* 지키는 선원장 얼굴
선뜩한 선기(禪氣) 번득이는
도솔천 죽비소리 더불어
천년을 기다렸다 천년을 기리려니

*지리산 자락 아래, 산청 보림선원

[시작(詩作)노트]

'하계 철야 정진 기간' 중 잠시 선원(禪院) 뒷뜰을 산책하다 대나무 울타리 사이에 여여히 자리잡고 있는 집채만한 바위에 우연히 눈길이 가다가 후다닥 놀라운 발견을 하게 된다. 매번 예사로 스쳐 지나치던 바위에 오늘따라 선원장 얼굴이 어른거리는 것이다. 누군가는 반려견을, 누군가는 멧돼지를 닮았느니 하지만, 필자의 눈에는 분명 선정(禪定)에 잠긴 선원장의 모습이다. 어릴 적부터 보아온 평생지기이면서 평생도반의 캐리커쳐를 어찌 예사로 넘길 수 있단 말인가. 대학생 때부터 일념으로 정진해 온 그의 내공이 이곳 '산청보림선원'에서 이제야 서서히 뿜어 나오고 있는 듯 하다. 숱한 우여곡절 겪은 지난한 세월 뒤로 하고, 묵묵히 스승이 떠난 자리를 지키고 있는 그의 모습은 마치 살아있는 활불(活佛)의 자태를 연상케 한다. '공겁인(空劫人)', '허공으로서의 나' 법문 한자락 부여잡고 오늘도 좌정한 채 울려 퍼지는 죽비소리가 더욱 선뜩한 선기(禪氣)를 내뿜고 있다. 비록 구부정한 허리에 백발 허연 모습이나 성성한 눈빛만큼은 감히 범접하기 어려운 아우라를 지녔다. 지리산 자락에 펼쳐진 화엄(華嚴) 그 자체였다.

우산, 또 잃어 버렸다

비올 땐 한없이 아쉽다가
개일 땐 참 귀찮게만 여겨졌다
바로 그게 잘 잃어버리는 이유
'네가 나를 모르는데 난들 너를
알겠느냐' 경전같은 유행가 가사

[시작(詩作)노트]

우산하면 영화 '애수'의 한 장면, 또는 '셀부르의 우산'의 포스터에
실린 사진(우산 밑에서 여인은 발돋음을 한 채 연인과 입을 맞추고
있는)이 먼저 떠오른다. 우산장수와 짚신장수 두 아들을 둔 어머니
얘기도 슬며시 미소 짓게 하고, 진정한 친구는 우산을 씌워주는게
아니라 같이 비를 맞아주는 사이라는 말에도 고개가 끄덕여진다.

우산을 의미하는 영어는 umbrella, 어원은 라틴어 그늘 umbra를
의미한다. 파라솔(parasol) 역시 막다 혹은 태양을 의미하는
어원으로부터 출발했다. 우산·양산이 만들어진 초기에는 비,
태양과는 전혀 무관했다. 이 일산(日傘)은 기원전 500년경에
인도에서 그리스로 전파되었고, 그리스는 로마로 이 일산을 옮겨
주었다. 일산은 상류층의 지위, 명예의 상징으로 쓰였다. 앗시리
아의 경우 오직 왕만이 우산을 가질 수 있을 정도였다. 아시아에
서는 지위의 고하를 우산의 숫자로 나타내는 경우까지 있었다.
불교의 경우 붓다의 상징물로 채택되어서 스투파 위에는 이런
양산·우산을 얹었다. 로마 카톨릭에서는 의식에 권위를 나타내는
상징물로 옴브렐로네(일산)가 있다. 티베트 불교에서는 상스러운
여덟가지 상징물(팔길상, 八吉祥)의 하나로 우산을 꼽는다.

'비 올땐 아쉽고 개일 땐 귀찮아 한다면 무정물인 우산조차도 역시
당신을 그렇게 생각할 것이다' 라는 말에 정신이 번쩍들어 다시
한번 본인의 인간관계를 뒤돌아보게 되었다.

만파식적(萬波息笛)*

그대 일러 슬픔을 덜기 위하여
태어난 악기라고 한다지
그대 목소리는 애잔함의 표상이지만
그 선율로 인해 우리는 늘 윤슬처럼
환해지는 세상을 경험한다네

*만개의 파도(번뇌)를 잠재우고 가라 앉히는 피리.
**팬플룻(Panflute) 악기를 지칭.
***햇빛이나 달빛에 비치어 반짝이는 잔물결

[시작(詩作)노트]

팬플룻 소리를 듣고 있노라면, 멀리 눈덮힌 안데스 산맥 고산 준령을 넘나드는 전설의 새, 콘도로(Condor)를 떠올리게 되고, 영험하고 신비로운 고대 잉카문명을 생각케 된다.팬플룻트 (Panflute)는 그리스 신화에 등장하는 신(牧神목신), 팬(pan)의 이름에서 유래되었다.

팬은 상반신은 사람이고 하반신은 짐승의 모습을 한 반인반수의 신으로, 요정 시링크스(syrinx)를 몹시 사랑했다. 그러나 시링크 스는 그를 너무 싫어한 나머지 강(江)의 신인아버지에게 부탁하여 스스로를 강가의 갈대로 만들어 버리고 만다. 그 사실을 알게 된 팬은 그녀를 몹시 그리워하며 강가에 나가 갈대를 꺾어 불었는데, 이것이 팬플루트의 기원이 되어 '팬의 피리'라는 의미의 팬플루 트가 되었다고 한다.

팬플루트는 루마니아의 전통악기 이지안 루마니아 뿐만 아니라 전 세계 곳곳에서 비슷한 형태를 가진 악기들이 출현하여 그 기원을 찾아볼 수 있다.

팬플루트는 한 쪽이 막혀있는 여러개의 관을 차례대로 연결시켜 놓은 원시적인 형태로 되어있으며 각각의 파이프 윗부분에 입술을 대고 바람이 스치도록 불어 소리를 만들어 낸다. 팬플루트의 소리는 매우 곱고 아름다우며 마치 새벽이슬처럼 맑고 깨끗하다. 또한 환상적이며 목가적인 분위기를 연출해 낼 수 있는 악기이다.

현대에 이르러 루마니아 출신의 게오르그 장피르라는 탁월한 연주가가 등장하여 '외로운 양치기(lonely shepherd)'라는 매우 환상적인 곡을 발표함으로써 팬플루트라는 악기의 특징을 유감

없이 들려 주었다. 그로 인해 현재는 많은 팬플룻 연주자와 애호
가들을 탄생 시켰다.

《팬플룻 찬가》 - 최진태 -

그대 앞에 경건하게 두 손 모은 후
간절하고도 긴긴 입맞춤 다하면
깜깜한 어둠 속 내밀한 붉은심장 너머로
파르르 떨림이 일어난다 그대가 깨어나는 소리다

닫혔던 비밀의 문 서서히 열리며
아롱아롱 수런수런 축복의 성가 소리까지
어느덧 영혼의 울림되어 천상의 뮤즈신 왕림한 듯
오색 무지개 빛 천년의 바람 소리로 태어난다

그대 일러
슬픔을 덜기 위하여 태어난 악기라고 한다지
그대 목소리는 애잔함의 표상이지만
그 애잔한 선율로 인해
우리는 늘 윤슬처럼 환해지는 세상을 경험한다

천일 천밤을 돌아 또 이 밤을 지새워도
싫지 않은 그 소리에 천인이 은혜롭고 만인이 행복하다
만파식적(萬波息笛)이로다

어느새 초록의 마음되어 보석같은 시 읊조리는 시인이 된다

아버지

칼 하나씩은
가슴에 품고 사는
이 땅의 검객

[시작(詩作)노트]

[이땅에 아버지들에게]

정의로움도/ 세상의 시시비도/ 가리고 싶던

떳떳하게도/ 사나이다운 처신/ 하고 싶었던

멋들어지게/ 폼나게 살고 싶던/ 청운의 시절

꿈많던 청춘/ 아버지도 있었다/ 짐지기 전엔

눈에 넣어도/ 아프지 않은 자식/ 금쪽같은 처

나하나만을/ 의지하며 살아온/ 그들을 위해

결심 했노라/ 한 몸 던질 각오를/ 처자식 위해

빳빳한 고개/ 일자로 섰던 허리/ 기울어갔다

입 눈이 있어도/ 못본 채 못들은 채/ 하게 되었고

아닌것일랑/ 아니라고 말하지/ 못하게 된걸

자존심일랑/ 애당초 사치였지/ 내팽개쳤다

무거워한들/ 내려 놓을 수 있나/ 이 맵고 쓴 짐

용기와 열정/ 사라진 것이 아냐/ 일종의 타협

살아가는 일/ 만만치 않더란다/ 무엇 하나도

하여 아버진/ 때론 혼자서 운다/ 하늘만 알게

속울음 삼킨/ 아버지는 울어도/ 눈물이 없다

눈물 없으니/ 가슴으로 울 수 밖/ 없다는 사실

사람들 안다/ 아버지가 되어본/ 자들만 안다

약해져서도/ 눈물을 보여서도/ 안되는 것을

고달프고도/ 고독한 사랑인게/ 아버지인걸

아버지 존재/ 가정을 지켜야 될/ 수호신이라

남자보다도/ 강한게 아버지라/ 누가 말했나

이땅에 사는/ 아버지들이시여/ 오늘 만큼은

나고 죽는 긴/ 자고 깨는 짧은 꿈/ 한데 버무려

소주 잔 그득/ 자축이라도 하고/ 짐 내려 놓길

수고했어요/ 그대 감사합니다/ 아버지시여

으라차차

생명의 불꽃
활화산 같이 타올라 바위도 쪼갠다
견디고 버텨온 인고의 세월
'파멸 당할 수도 그러나 패배는 안돼'*
두 주먹 불끈

*헤밍웨이의 '노인과 바다'중 산티아고 노인의 독백

진실의 입

부모랑 손잡고 같이 온 꼬마아이
저 입 속에 손을 넣어보라 하자
뒷걸음 치다 그냥 '왕' 울음 터트린다
사실 어제 게임 두 시간 했어요
한 시간 했다고 엄마께 거짓말 했어요

[시작(詩作)노트]

성년이 된 우리에게도 저런 시절이 있었겠지.

백설처럼 순백하고 때묻지 않은 순수함 간직했던 시절,

별처럼 반짝거리는 고운 마음 잊지 않았던 시절,

그냥 미소가 번져오는 아릿한 심성을 간직했던 시절,

보기만해도 듣기만해도 옆에만 있어도 아무런 경계심 없이

상대를 끌어 당기는 아이의 눈빛이

그리운 시절.

"아이와 같이 되지 않으면, 결코 하늘 나라에 들어가지 못할 것이나." 였나.

둥둥 떠다니는 말들의 잔치 속에서

살아가는 우리네들.

참말만 하고, 고운말만 하고, 긍정의 말만 하고, 격려와 용기를 주는 말만 하고 살아도 부족한 시간,

거짓과 위선이 난무하고

괘변과 독설과 요설이 가득찬 세상은 아수라장 그 자체가 아니고 무엇이겠는가.

저 높고 푸른 가을 한번 우러르고, 오곡백과 익어가는 황금빛 가을 들판에 눈길 한번 돌리며, 수십억 광년 전에 출발한 반짝거리는 별빛에 눈 한번 맞춰보리라.

온갖 세파에 찌든 때묻은 영혼의 찌꺼기 벗어 던진,

푸르디 푸른 동심으로 가득찬

세상을 꿈꾸어 본다.

오늘따라 해맑은 웃음, 청순함 그 자체를 선사해주던 '로마의 휴일' 속 오드리 헵번이 그리워진다. 아프리카 오지의 힘들고 병든 자들을 위한 봉사와 헌신의 삶을 몸소 실천하셨죠. 예쁜 모습만큼이나 참 곱고도 예쁜 삶을 살다 가셨구려, 그대.

천년지기

살집이 터져오고
뼈마디에 진물 흐르던 세월
나의 피 당신 주고
너의 살 내가 받아
가슴에 가득 채운 지고지순 사랑가

경청(傾聽)

말 배우는데는 2년, 듣기 배우는데는
이순(耳順, 60년)걸린다네
상대의 말에 귀막고 눈감은 채 그대들
오로지 내 말 내 이야기를 들어라
외치는 군중 속의 저 고독한 군상들

[시작(詩作)노트]

상대가 말을하는 그 순간부터 오로지 내가 무슨 말을 할까부터
생각한다.

상대의 말은 건성으로 흘려 듣거나 듣는척만 하거나다. 시간이
흐를수록 내 말 내 얘기만 하고 있다. 특히나 지식인이라 자부하는
사람일수록, 또는 어느 분야에서 명성과 지위를 획득했다고 하는
사람일수록 더 심한 경우를 본다.

상대의 말엔 거의 무감각하다. 온통 자기의 능력과 자기의 성취를
은근히 자랑하고 떠벌리고 싶어하고, 상대가 맞장구 쳐주고 부러
워하며 선망의 대상이 되길 원한다. 겉으로는 결코 그런것이
아니라는 천연덕스런 근엄한 표정을 짓고 있지만, 기실은 자기를
알아주고 인정해주고, 자기 말을 들어주고 자기만을 주목하라는
것 밖에 안된다.

상내가 말할 기회들 서의 안주서나 중간에 뚝뚝 사트거나, 상대의
말을 가로막기가 예사다. 그런 행위가 상대를 얼마나 불쾌하고
답답하게 한다는 사실조차 아랑곳하지 않는다.

그런 사람과 만나고 돌아올 때 쯤엔 분명 맞는 말, 좋은 말을
들은 것 같은데, 상대가 대단하다는 느낌은 들었던 것 같은데,
왠지 모르게 목이 껄끄럽고 가슴이 답답하고 딱히 꼬집어서
얘기는 못하겠으나, 뭔지 모르게 은근히 기분이 나빠지는 경험을
해본 적이 있을 것이다. 그런 회수가 잦아질수록 그런 사람과의
교류가 꺼려지고 회피하고 싶어진다.

'군중 속의 고독이'란 말이 이럴 때 딱 어울리는 말이 아닐까?

'입은 하나요 귀는 두개'라는 사실, 최소한 두번 듣고 한번 말하는 대화법, 그리고 대화는 쌍방통행이 기본이라는 사실을, 너무도 간단한 이 이치를 우리는 살아가면서 왕왕 잊고 살지는 않았는지.

주위에 친구나 지인들이 많은 사람들을 보면 대개가 자기 말은 아끼고 상대의 말을 잘 들어주는 사람이라는 걸 어렵잖게 발견할 수 있다. 적절한 맞장구까지 쳐주는 재치를 갖는다면 금상첨화일 터.

현대는 잘 말하기보다 오히려 잘 들어주는 사람이 절실히 필요한 시대. 그러려면 상당한 인내심과 노력이 뒤따라야겠다는 걸 인식하는게 급선무다. 오죽했으면 스티브 잡스는 직원들에게 자신을 CEO(Chief Executive Officer)라 하지 말고 CLO(Chief Listening Officer)라 불러달라고 주문했을까.

가을 타나 봐

잔 속의 잔잔한 떨림 꿈의 빛깔 저럴까?

목젖을 타고 흐르는 황홀한 너의 고백

너로 인하여 충만한 지금 이 순간

우주가 녹아 이 잔에 채워졌군

하늘의 물감 푼 가을날 푸른 커피

[시작(詩作)노트]

한 여인이 한 남자를 그리워하다 죽어서, 그 여인의 무덤가에 피어났던 꽃의 열매가 바로 커피라 하고, 커피의 색이 어두운 핏빛인 것은 그 여인의 피눈물 빛깔이요, 커피가 쓴 이유는 그 사람을 밤낮으로 기다렸던 그 여인의 마음이며, 커피의 향이 그윽한 이유는 그 여인의 사랑하는 마음의 향기라고들 하죠

지금 마시는 한 잔의 커피에는, 이렇듯이 사랑하는 이를 그리는 그리움과 애잔함의 향기가 담겨진 것이라 생각하면 좀 더 색다른 느낌이 들 듯 하다.

터키 속담에 "커피는 지옥만큼 어둡고, 죽을만큼 강하며, 사랑만큼 달콤하다"라는 말이 있을 정도로 묘한 매력을 지녔다.

낙엽뒹구는 계절, 선연한 저녁 노을 빛 아래에서의 한 모금 커피에는 영글고 완성된 것들의 치열했던 설레임과 애틋함마저 내려놓아야 하는 이별의 쓸쓸함과 회상의 그리움이 녹아있다.

지노 후란체스카티의 바이올린 선율 아니면, 토마스 안토니아의 첼로 연주로 비탈리의 샤콘느도 만나보면 더욱 좋을 듯한 시간, 이때 감미로운 시(詩) 한줄도 곁들이면 금상첨화.

낯선 목소리에 뒤돌아보는 설레임처럼 달콤하고, 수줍은 용기로 건넨 떨리는 목소리처럼 쌉싸름한 커피가 이 가을날 더욱 특별한 이유는 또 있다.

먼저 추억을 되새김질하게 하고, 숨겨진 그리움을 꺼내 볼 수 있기 때문이다. 자연스레 추억을 마시고 사랑을 마셔 볼 수 있기

때문이다.

''커피 한잔 하실래요''?는 "밥 한번 같이 먹자"는 소리보다 부담스럽지 않고, "술 한 잔 하입시더"처럼 가볍지도 않다.

그럼 그대, 오늘 "저랑 커피 한 잔 하실래요?"

추모(追慕)

까무룩 혼절하며
꽃진 저 자리에
꿈 속에 꿈을 꾸며
별똥별 하나
선을 긋는다

[시작(詩作)노트]

한 분을 떠나 보내고 오는 길목엔 한 여름날 화사하게 온 세상
을 장식했던 꽃송이 하나 툭 떨어지고 있었다. 바람에 새긴 숱한
흔적들 사이로 또 한 시대가 저물어갔다.

기도

힘들면 쉬어 가소서
고단하면 내 등에 기대시고
억울함도 설움도 다 털어 놓으시길
그런 사람 하나 그립고
그런 사람 되어봤으면

*기도하는 동자승/최진태 作

[시작(詩作)노트]

기도는 자신이 힘들고 어려울 때나 또는 특정 대상을 위해 축원 또는 축복의 염원을 담아, 이룰 수 있는 큰 힘을 지니고 있다고 믿는 절대자에게 자신의 소원을 비는 행위라고 생각된다.

연말 연초에는 자연스럽게 옷깃을 여미고 경건한 몸가짐으로 마음을 추스리게 된다. 그 자체가 기도라고 할 수 있지 않을까.

종교의 유무, 지적 수준, 재산의 유무, 권력의 소유 여부를 떠나 예전에도 현재에도 그리고 미래에도 이러한 기도는 계속 될 것이다.

그런 기도에 대해 이문재 시인은 <오래된 기도>에서 잘 말해주고 있다.

"가만히 눈을 감기만 해도/기도하는 것이다

왼손으로 오른손을 감싸기만 해도/
맞잡은 두 손을 가슴 앞에 모으기만 해도/말없이 누군가의 이름을 불러주기만 해도/노을이 질 때 걸음을 멈추기만 해도/꽃 진 자리에서 지난 봄날을 떠올리기만 해도/기도하는 것이다

음식을 오래 씹기만 해도/촛불 한 자루 밝혀놓기만 해도/솔숲 지나는 바람소리에 귀 기울이기만 해도/
갓난아기와 눈을 맞추기만 해도/
자동차를 타지 않고 걷기만 해도

섬과 섬 사이를 두 눈으로 이어주기만 해도/그믐달의 어두운 부분을 바라보기만 해도/우리는 기도하는 것이다/바다에다 와가는 저문 강의 발원지를 상상하기만 해도/별똥별의 앞쪽을 조금 더 주시하기만 해도/
나는 결코 혼자가 아니라는 사실을/ 받아들이기만 해도/나의 죽음은 언제나 나의 삶과/ 동행하고 있다는/ 평범한 진리를 인정하기만 해도

기도하는 것이다/고개들어 하늘을 우러르며/숨을 천천히 들이마시기만 해도"

알브레히트 뒤러의 '기도하는 손'과 조수아 레이놀즈의 '꼬마 사무엘', 에릭 엔스트롬의 '그레이스', 밀레의 '만종' 등의 이런 간절한 기도 모습을 닮으려 노력하면서, 고개 들어 하늘을 우러르며 숨 한번 천천히 들이 마시며 두 손을 모아봐야겠다.

한산신문 독자님들의 소망하는 계묘년 새해 기도 소리가 부디 피안의 저쪽까지 닿아, 만사형통(萬事亨通)하시길 기원드립니다.

춘정(春情)

아리지 않고
두근대지 않으면
사랑도 아냐,
푸우 뱉는 봄
한숨 소리만

글을 아는 물고기

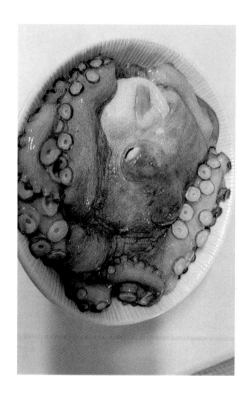

통영 다찌집 환상의 술상 메뉴요
먹물 가득 지성미에 신통력까지
피로회복 자양강장제이니 빵빵하게
정기 채워 험난한 인생 언덕길
돼 받치는 강력한 빨판 되어 주시게

[시작(詩作)노트]

문어란 이름의 '문'자는 '글월 문(文)'

자다. 문어의 뇌 구조는 무척추 동물 중 가장 정교하게 발달 해 있다고 한다. 그래서 척추 동물의 지휘자가 인간이라면, 무척추 동물의 지휘자는 문어(文魚)라고 호사가들은 말한다.

문어는 크게 피문어(대문어)와 돌문어(참문어) 두 종류로 구별되며 주로 피문어(대문어)는 동해바다 깊은 곳에, 돌문어(참문어)는 주로 남해안 연근에 서식한다. '통영 돌문어'라는 이름도 여기서 유래한 듯 하다. 피문어는 삶으면 힘없이 쓰러지는 반면, 돌문어는 더 탱글탱글

해져 세울 수도 있다. 두 종류의 맛의 차이는 직접 느껴보시길.

글을 아는 생선이라서 제삿상에 올리거나 특별한 날 먹는 귀한 음식이다. 제례에선 제물로 혼례에선 이바지로 애주가들의 술상에선 쫄깃한 식감으로 술 맛을 더해주는 안주로 우리 가까이에 있다.

그래서인지 오늘날 유교 문화의 본 고장이랄수 있는 안동 등지에서는 더욱 각별히 사랑받는 해산물이다.

아연·타우린 등이 다량 함유되어 있어 혈압·심장병 등 혈관계 질환 예방 및 인슐린 분비를 촉진하며, 다이어트는 물론 혈중 콜레스테롤을 떨어뜨리는 효과와 피로회복·자양 강장제 역할까지 한다.

문어숙회, 문어어묵탕, 문어연포탕, 문어조림, 문어초무침, 문어꼬지 등 요리계의 팔방미인이라 칭할 수 있을 만큼 각종 요리로도 다양하게 입 맛을 돋아주고 있다.

축구 경기에서 승부 예측을 기막히게 해내는 사람을 보고 '문어'라고 표현한다. 이는 2010년 남아공 월드컵 당시 독일의 한 수족관에 살았던 '파울'이라는 이름의 문어가 월드컵 경기 결과들을 매우 높은 확률로 맞췄던 것이 전 세계적으로 화제가 되었기 때문이다. 머리 좋은 박사(비록 대머리지만)라는 말이 괜한 말은 아닌 듯 싶다.

팬데믹은 서서히 걷혀가지만 여전히 우리 경제의 체감지수는 불투명하다. 그로인해 서민들의 주름살은 쉽게 펴질 줄을 모른다.

이럴 때일수록 새콤한 초장 곁들인 문어숙회에 소주 한 잔 기울이면서 인생길 고단함을 잠시 내려 놓아보면 어떠하리오.

그리고는 다시 충전된 에너지로 봄을 스프링(spring)이라 하듯이, 눈앞에 펼쳐진 가파른 언덕길을 이 봄에 스프링처럼 굳건하게 팡팡 튀면서 가뿐히 넘어 갔으면 좋겠다.

미끄러지려는 언덕길을 문어의 강력한 빨판처럼 돼 받쳐야겠다.

그리고 혹 아는가, 머리 좋은 문어가

힘든 상황들에 대한 극복의 지혜를 살짝 귀뜸해 줄지도 모를 일 이니까.

달이 떴다고 전화를 주시다니요*

저뭄 기울음 사라짐 존재의 비움,
잿더미 속 마지막 불씨의 아른거림은
선연한 비장함. 아, 그래 적멸 그 자체다
그 어둠 속에서
다시 달이 뜨고 별이 밝아 온다

*김용택 시인의 시 제목, 산양 일주도로 '달아 공원' 가는 길목
에 있는 까페 이름이기도 하다. '달아 공원'은 해맞이·해넘이·
달구경 하기 좋은 명소로 유명.

[시작(詩作)노트]

우리나라의 아름다운 길 중의 하나인 '꿈의 60리' 산양일주도로를 달리다 보면 뉘엿대며 넘어가는 해넘이를 만날 수 있는 '달아공원'이 나온다. '달아공원'의 언덕에 서면 대매물도, 비진도, 학림도, 오곡도, 소지도, 송도, 국도, 연대도, 저도, 연화도, 만지도, 두미도, 추도, 소장재도, 대장재도, 남해도, 가마섬, 곤리도, 사량도, 쑥섬이 그림처럼 점점이 펼쳐진다.

'달아공원'의 해넘이는 미륵산의 일출과 대비되는 통영 8경 중의 하나다. '달아'라는 이름이 예쁘지만 그 이름의 내역을 아는 이는 드물다. 누구는 이곳 지형이 코끼리의 어금니(상아)를 닮아 붙여졌다고도 하고 그냥 달 구경하기 좋아서 '달아'라는 이름이 붙여졌다고도 하며, 임진왜란 때 이순신 장군의 위세를 과시하기 위해 깃대 끝에 상아로 장식한 호화로운 깃발을 꽂은데서 유래했다고도 하며, 또 학자들은 옛 가야 지역에 많이 분포되었던 다라(多羅)의 지명에서 유래했다고도 한다. '달아'가 있는 미륵도가 그 내 고성을 중심으로 형성된 소가야국이있다는 사실을 아는 사람이 얼마나 될까?

하루의 끝자락을 장식하는 해넘이는 저토록 비장하고 장엄하게 느껴지는걸까. 글썽이듯 한 생을 마감하는 노을빛은 깊고도 웅숭하다. 잿더미 속 마지막 불씨가 아른거린다. 뚜벅뚜벅 적요한 발걸음을 옮기고 있다. 붉은 동백꽃이 순백의 눈 위로 떨어져 서서히 진홍빛으로 물들어 가듯 선연한 비장함까지 느끼게 한다. 고된 하루를 묵묵히 버티고 견디며 온종일 혼신의 에너지를 쏟아 붓다가, 이제는 아무 미련없이 모든 것 훌훌 털어버리고 홀가분하게 떠나는 그의 뒷모습에 경의를 표한다.

그가 사라지기에 밤의 어둠은 피어난다. 그 어둠 속에서 달이 뜨고 별이 밝아 온다. 해가 지는 것은 해가 뜨는 것을 예비하는 반복의 자연 섭리와 일직선상에 있다. 생성과 소멸의 불이법문(不二法門)이다.

오늘따라 겨울바람이 더 차게 느껴지면서, 왠지 모르게 서러움에 붉어진 마음을 따뜻한 커피 한 잔으로 추스려 본다.

참새가 방앗간을

눈 비 오는 날 불 밝힌 포차
뽀얀 국물 맛에 시원하게 길 닦는
소주잔, 다음 날은 속 씻어내준다
하니, 병 주고 약 주는 겐가
취객들의 원색적 농은 덤으로

[시작(詩作)노트]

'홍합'하면 권천학의 시가 먼저 떠오른다.
"(..)끓여도 끓여도 열리지 않는 문/
죽어서도 문을 열지 못하는/그 안에 무슨 비밀 잠겼을까?/남의
속은 풀어 주면서/제 속 풀지 못하는 홍합의 눈물/그토록 깊이
단단했구나(..)"

담치, 참담치, 섭조개, 합자 등으로 불리는 홍합은 가장 대중적
이며 우리와는 친숙한 조개류 중의 하나이다. 홍합은 굴이 자웅
동체인 것과는 달리 자웅이체이다. 따라서 담치는 담채에서,
홍합은 담치 암컷의 붉은 살에서 유래된 이름이라고 알려져 있다.

추운 겨울 또는 눈·비 오는 날 어둑어둑 어스름이 깔릴 무렵
출출해지며 소주 한 잔이 생각 나는 날, 백열등 불빛 포장마차에
들어설 때 제일 먼저 생각 나는건 역시 따뜻하고 뽀얀 국물에
담백한 맛까지 섞여있는 시원한 홍합탕일 것이다. 이 어찌 주객
들이 입맛을 다시지 않으리오.

홍합은 그 생김새로 인해 예로부터
여성을 상징하는 조개로 불리어 왔는데 대표적으로 한창훈의
소설에도 등장하고 있다.

원래 홍합은 토산종 담치를 가리키는 말인데, 그러나 굴러온 돌이
박힌 돌을 뺀다는 말이 있듯이 바로 진주담치에 밀려난 홍합의
처지가 그러하다. 번식력 강한 지중해 담치 등 외래종 담치가
우리나라 연안으로 유입되면서 토산종은 밀려나게 되었다. 그래서
토산종을 담치 중에 진짜 담치라 해서 참담치, 외래종을 진주담

치로 부르게 된 듯 하다.

기능성 성분인 타우린 함량이 굴 다음으로 많아서, 당뇨병 예방, 시력 회복 등에 효과적이고 함황아미노산은 전복 다음으로 많아서 간기능 향상, 피로 회복에 좋다고 알려져 있다.

이 번식력 강한 외래종 진주담치 덕분에 우리나라 연안에는 홍합을 발견하기가 쉽지 않게 되었다. 그러나 육지에서 멀리 떨어진 울릉도를 비롯한 남해안 도서지역에서는 아직 홍합이 그 명맥을 유지하고 있다고 하니 반가운 소식이다.

울릉도 사람들은 이 홍합을 이용해 홍합밥이라는 특산물을 개발했다. 청정해역에서 잡은 홍합을 잘게 썰어 양념과 함께 쓱쓱 밥을 비벼 먹는 것인데 한번 이 맛을 본 사람은 다시 찾게되는 울릉도만의 독특한 매력을 안겨주고 있다.

오늘 저녁 퇴근길에 얼큰한 홍합탕에 소주 한 잔 기울일 옆지기 이디 없슈?

유아독존(唯我獨尊)

내가 나를 안아본다
핏빛 절망을 딛고
마침내 눈물 속에 피어난 그대
저만치서 노란 망또 걸친 채
환하게 웃고 서있다

[시작(詩作)노트]

수선화는 물에 비친 자기의 모습을 연모하여 빠져 죽어서 꽃이 된 미모의 청년을 기리는 꽃이다. 수선화의 꽃말은 자기 사랑, 자존감, 고결, 신비이다. 영어로 나르시스(narcissus)라고 한다. 자신의 내면을 오래도록 들여다보다 결국은 자신의 세계에 갇혀버리게 되었다는 슬픈 이야기를 가진 수선화의 전설을 떠올린다. 허나 역설적으로 이 슬픈 전설을 딛고 당당하게 피어난 노란 수선화에 더 눈길이 감은 왜일까?

'천상천하 유아독존(天上天下 唯我獨尊)'이란 말은 석존이 태어났을 때 일곱 발자욱을 옮기며 한 손은 하늘을, 한 손은 땅을 가르키며 하셨다는 말씀이다. 여기서 '유아독존(唯我獨尊)'이란 '진리를 깨친 자신이나 성스러운 현자나 똑같이 높고 존귀하다는 뜻이다.' 유아독존은 독불장군과 같은 부정적인 이미지가 아니다. '나'는 모든 생명의 주체라는 의미로서 상대적이 아니라 절대적으로 존귀하다는 생명 존엄성의 다른 표현이다.

미국의 심리학자 M 스캇 펙(Scott Peck)은 "자신을 스스로 존중하는 느낌은 정신 건강의 가장 중요한 요인이며, 자기훈련의 주춧돌이다"고 말한다. 이처럼 자신이 존귀한 존재임을 자각하는 일, 자신의 삶의 주체가 되는 일, 모든 생명이 존귀함을 깨닫는 일이 '천상천하 유아독존'의 본래의 의미인 것이다. '우주를 관통하는 오직 하나의 나', 만공스님은 그걸 '세계일화(世界一花)'라 불렀다.

유아독존이란 말은 '나'는 아상(我相)에 붙잡힌 '나'가 아니요, 독불장군과 같은 부정적인 이미지가 아니다. 내가 나를 소중하게 생각해야 다른 사람도 나를 함부로 하지 않는 것, 남에게 대우받으려면 먼저 다른 사람을 잘 대접해 주어야 하는 것이 정한 이치일진데 이 세상에 자신보다 더 귀한 사람은 없는 것이다. 도산 안창호의 '애기애타(愛己愛他)정신'과도 일맥상통한다 할 것이다.

세상을 살다보면 눈물이 날 때도 있고, 고개를 떨굴 때가 있다. 힘에 겨워 지칠 때, 좌절하고 포기하고 싶을 때, 이 눈물과 아픔도 다 이겨내고 보면 내가 바로 '천상천하 유아독존'인 멋진 존재가 아니겠는가.

《수선화/최진태》

고요한 아침 여는 해맑은 성자 얼굴/
고즈넉한 법당에서 종소리 울리는듯/
경건히 두손 모으고 다가서는 그대 앞

양지녘 자욱자욱 그대 발길 정겨웁다/나팔수 목청 높혀 봄이야 외침 소리/다소곳 꿇어앉아서 기도하고사랑하리

물깊은 바람 소리에 피었구나 떨면서/눈물이 고여있네 바다보다 푸르른/건지면 건져낼수록 부서지는 그림자

하며 하며 터질 것 같은 아실 아실 저 생명/그러다가 그러다가 죽었던 가여운 넋/살아나 다시 살아나 죽는구나 또 다시

고운님 받자와서 뿜어낸 맑은 눈빛/
그렇듯 무심한 듯 빙그레 미소 짓나/
오늘 난 해탈한 신선 그대 통해 보았네
초승달 불러들여서 시한 수에 술 한 잔/수줍은 섬섬옥수 바르르 떠는 옥잔/까맣게 지새운 밤도 오늘만은 환하다

양심 고백

통영 사랑' 시인인 척 했다
헌데 내내 속앓이를
미뤄 둔 숙제 땜에,
아직 전편을 정독 못하고 있다니
이번엔 기필코.. 선생님 죄송합니다

[시작(詩作)노트]

박경리 선생님은 생전에 명정골 동백꽃이 50번 피고 지는 세월 안에 고향을 방문, 어릴 적 뛰놀던 세병관 기둥을 잡고 회한의 눈물을 보였다고 한다.

그는 1969년 6월부터 토지를 집필하기 시작해 25년 만인 1994년에 완성, 한국 문학사에 큰 획을 그었다. 사반세기에 걸쳐 세상 일과 단절하고 오로지 집필에만 몰두한 채 1부를 쓰던 중 암 선고를 받고 수술까지 받으면서, 3만1천200 장 원고, 5부 20권, 700명이 넘는 등장 인물로 한국 문학사에서 가장 긴 호흡을 자랑하는 본격 대하 장편 소설을 완성하였다.

"동학운동에서 광복까지의 파란 많은한국 근 현대사를 관통하면서 한반도남단의 하동 평사리에서 시작하여 진주, 통영, 경성과 만주, 중국, 일본 등 아시아 전체를 무대 삼아 펼쳐진 작가의 상상력은 소설을 넘어 한민족의 방대한 역사기록으로 남았다"고 비평가들은 얘기 한다.

모든 삶에 내재한 서러움과 상대의 서러움을 아는 것에서 나오는 연민의 감정은 토지를 관통하는 주된 정서로 자리 잡았다. 토지에는 인간에 대한 깊은 이해와 삶의 실상이 잘 드러나 있다는 평을 받고 있다.

작가는 절대 절명의 고독 속에서

오로지 "글기둥 하나 잡고 눈먼 말처럼 연자매 돌리며" 토지를 썼다고 회고한다. 그는 불행을 오히려 순도 높은 창조의 질료로 탈바꿈 시킨 것이다.

그러므로 토지는 25년간 아픔을 안으로 안으로 삭이면서, 고독과
병마와 사투를 벌이며 거둔 위대한 전리품인 것이다. 처절한 고독
속에서 한(恨)의 근원을 캐내, 생명 사상을 잉태하는 크고도 넓은,
깊고도 따뜻한 모성(母性)의 장을 펼친 것이다.

"(...)
붓대 하나의 힘/붓대 하나의 자유/
붓대 하나의 생명이/청산을 밝히고/
홀로의 높으심으로/혼을 빚은 불멸의 자취가/ 영원의 문을 엽니다/
미물을 연민하고/인간을 연민하고/
자신을 연민하고/죽음조차 연민하시던 삶
(...)"
이란 김혜숙 시인('박경리 선생님 영전에')의 싯귀가 새삼 가슴에
와닿는 5월이다.

그립다하니 하 그리워

하마 님 올까
눈이 자주 간다
너른 마당귀 그리움 뚝뚝
꽃물로 찍어 쓴다
꽃붓 세워서

[시작(詩作)노트]

《붓꽃》

1.
선비가 왔군/반듯한 걸음 보니/
청도포 입고

2.
그대 더불어/시 한 수에 술 한잔/
대장부 풍류

3.
한 수 청하오/탁배기 한 병 들고/
고개 조아려

4.
반가의 규수/연서를 쓰려 하오/
화서지 대령

5.
문인화 한폭/늦봄 향 듬뿍 찍어/
일필휘지로

6.
풀어 쓴 연가/푸른색 치맛자락/
현란하구려

7.
사랑의 계절/누구에게 쓸거나/
붓에 침 묻혀

8.
방울 방울 쓴/사연인즉 궁금타/
봉오리 마다

9.
환한 봄들에/백일장 열렸구나/
갓 쓴 선비들

10.
아이리스라/뭔가 있어 보인다/
오, 드라마 탓

11.
백합과 함께/성모마리아 상징/
역시 그랬군

※ 불멸의 화가 빈센트 반 고흐(1853~1890)의 '붓꽃-아이리스'를
떠올린다. 그는 "아무것도 하지 않고 공부하지 않고 노력을
멈춘다면, 나는 패배하고 만다. 묵묵히 한길을 가면 무언가
얻는다" 등의 자기 암시의 힘을 이용해 몸과 마음의 병을
치유하고자 했다.

'붓꽃-아이리스'는 절망의 순간에도 자기 암시를 통해 고난과
역경을 이겨낼 용기를 얻었다는 것을 보여주는 작품이다.

붓꽃은 '기쁜 소식', '행운'의 꽃말을 가지고 있다기에 지기 전에
얘들을 꽉 붙잡아야 될텐데 생각하며 창밖을 보니 벌써 붓꽃은
지고 없었다.

편견

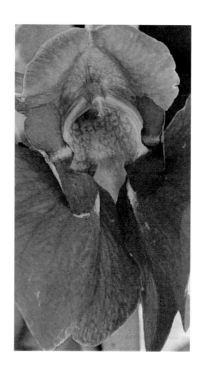

무릎 낮추고 가슴 열고
눈높이로 마주한 그대
저리도 뜨겁고 열정적인 속내
품고 있었다니, 가냘픈 모습
손톱 물들이던 풍경 너머로

"비오자 장독간에 봉선화 반만 벌어/해마다 피는 꽃을 나만 두고 볼 것인가/세세한 사연을 적어 누님께로 보내자//누님이 편지보며 하마 울까 웃으실까/눈앞에 삼삼이는 고향집을 그리시고/손톱에 꽃물들인 그날 생각하시리//양지에 마주 앉아 실로 찬찬 매어주던/하얀 손 가락가락이 연붉은 그 손톱을/지금은 꿈속에 본듯 힘줄만이 서누나"

통영이 낳은 시조시인 초정 김상옥의 '봉선화'이다.

봉선화는 봉숭아, 봉새 등 여러가지 이름으로 불린다. 봉선화라는 이름은 '군방보(群芳譜)'의 기록에서 유래한다. 즉 '군방보'에서는 줄기와 가지 사이에 꽃이 피어 머리와 날개, 꼬리와 발이 모두 우뚝하게 일어서서 봉황새의 형상을 닮았다하여 봉선화란 이름이 생겼다고 한다.

봉선화는 여름 햇빛 싱그러운 울밑이나 장독대에 어울리는 꽃이다. 귀족의 화려한 정원에는 결코 어울리지 않을 듯 하다. 그래서 여러 민요나 가사에서도 봉선화가 피어있는 장소는 언제나 장독대 아니면 울밑이었다.

봉선화는 결코 고귀한 귀부인의 풍모가 있을리 없고, 요염한 미소를 지어뭇 남정네를 유혹하는 요부의 기질이 풍길이 없다. 아리따우면서도 수수하고 어딘지 말 못할 서러운 사연과 한을 지닌 채 누군가를 그리워하는 촌아낙네의 모습이라고 할 것이다.

봉선화를 집안의 울타리 밑에 심어 악귀나 역질의 침입을 물리치는 벽사로 도 이용하였다. 특히 장독대는 생활의 큰 비중을 차지하는 곳이어서 그 주위에 봉선화를 심어 이곳을 지키도록 한 것이다. 손톱에 봉선화 꽃물을 들이는 것도 악귀나 역질로부터 보호하자는 것이 본래의 뜻이었다고 한다.

어느 외국인이 한 인터뷰에서 한국여행 중 가장 잊혀지지 않는 것은 '여인들이 손톱에 봉숭아 꽃물 들이는 모습'이라고 하는 것을 본 적이 있다. 손톱에 물들여진 봉선화 꽃물은 매니큐어보다는 선명하지 못할지라도, 그 꽃물엔 한국의 쪽빛 하늘과 햇살과 녹음의 향내가 깃들어 있어, 문득 한국의 정서를 느끼게 해주었을 것이다.

그러기에 봉선화는 한국 정서의 텃밭에서 핀 한 송이 사랑의 꽃이라 아니할 수 없다. 한국 여인에게 손톱에 물들인 봉선화 꽃물은 한국 여인들이 가꾼 소중한 사랑의 표식인 셈이다.

봉숭아물이 첫눈 올 때까지 남아있으면 첫사랑이 생긴다는 아름다운 미신을 믿고 가슴 설레던 우리의 할머니 어머니 누이들이 그리워지는 시절이다.

진또배기*

하늘과 지상을 연결해 주는 영혼의 안테나
정신문화 돛대 역할까지
어느덧 위성 안테나에 그 자리 내어 주고
겨우 장식품으로나마 질긴 목숨 부지한 채,
빈집 지킴이 역할이라도 잘해야지

*솟대의 강원도 방언

[시작(詩作)노트]

그대는 발길 뜸한 주인의 발걸음을 기다리며 오늘도 산방을 묵묵히 지키고 있다. 집 주인에 의해 탄생한 목숨이라(필자가 직접 제작) 더욱 주인을 애타게 기다리고 있을 듯 하다.

솟대는 최소 청동기 시대부터 전해 내려왔다고 여겨지는 한국의 목재, 석재 종교 건축물이다. 우리가 흔히 보는 솟대는 나무 솟대가 대부분이지만 돌솟대도 있다. 확실한 연대를 알 수 없으며, 보통 초기 철기 시대 이후에 만들어진 것으로 보고 있다.

솟대는 삼한시대의 제사인 '소도(하늘에 제사지내는 장소)'에서 유래했다는 설과 우리나라 서낭신과 관련이 깊은 몽고의 악박(Obo)에서 온 것이라는 새 숭배기원설로 나누어 진다. 이 중에서 소도기원설이 우세하다.

이름의 어원은 솟다와 막대. 즉 하늘 높이 솟은 막대라는 뜻이다. 영농시역 방언으로는 신쏘배기라고 한다. 새가 있는 횟대글 엉싱화하여 만든 것이다.

경기도와 충청도에서는 솟대를 장승 옆에 세워둔 경우가 매우 흔하다. 솟대는 마을 초입에 잡귀나 잡병을 막는 용도로서 세우기도 하여, 장승과 같이 마을을 지키는 수호신의 역할을 한 듯 하다. 또한 오리가 물새이므로, 마을에 물이 부족하지 않게 해주고 불이 나지 않게 해준다는 해석도 있다.

지역에 따라 모양은 다르지만 대개 나무 막대기 위에 새를 얹은 듯한 모양을 하고 있다. 그 외에 돌로 만들기도 한다. 새의 목에

볍씨가 든 주머니 등을 매달아 풍요를 기원하기도 하며, 부리에 물을 상징하는 갈대를 물리거나, 나무를 물고기 모양으로 깎아 물려서 화재를 막길 기원하는 용도로도 사용했다.

가장 대표적인 새의 모티브는 오리인데, 오리는 하늘을 나는 새이면서 물 안팎을 자유롭게 다니는 새이기에 하늘과 땅 물속(용궁)까지 이어줄 수 있고, 철새라서 주기적으로 대이동을 하여 사라지는 것을 고대인들은 저승의 세계로 떠난 것이라 여겼기에 서로 다른 세계를 자연스럽게 오가는 전령으로 여겨 널리 사용되었다. (참고로 일본에서는 오리를 봉황으로 보는 관념도 있다고 한다.) 그 외에 까마귀나 기러기, 맹금류를 모티브로도 하였다고 한다.

새가 인간과 하늘을 연결하는 매개체라고 보는 풍습은 한국의 솟대나 일본의 토리이, 중동의 괴베클리 테페에서도 볼 수 있다. 아마도 고대의 조장(鳥葬)풍습에서 사람이 죽으면 하늘을 날아 다니는 새가 사람을 먹어 그 영혼을 하늘로 인도한다고 생각한 것 같다.

이번 태풍 카눈(KHANUN)에 혹 오두막집이 날아간 것은 아닌지 수일 내로 그간 발길 뜸했던 '통영산방'으로 꼭 행차하리라 다짐해 본다.

스무고개

아슴아슴 젖어드는 노을 사이로
신열 달뜬 선홍빛 섬들 울을 삼아
사랑하는 사람들과 한 오백년 쯤
아우르며 살고 싶다는 생각
쌍무지개 되어 걸려 있는 곳은?

[시작(詩作)노트]

통영대교는 통영 8경 중의 하나로 손꼽히며, 통영의 가장 아름다운 야경을 볼 수 있는 곳이다. 통영시 미수동과 당동을 잇는 아치 형태의 쭉뻗은 이 통영대교의 길이는 391미터, 폭은 20미터이다. 푸른계열의 조명인 196개의 투광등이 설치돼있다. 통영대교는 미륵도로 들어가는 중요한 관문이다. 그 전에는 충무교가 그 역할을 했고, 그 옛날에는 착량교가 미륵도로 들어갈 수 있도록 일조하였다. 통영대교와 그 부근에 있는 해저터널, 통영 운하 등은 통영의 명물로 손꼽히고 있다.

《통영대교》

/최진태

문향 가득한/연필등대를 수문장처럼/
저만치 양컨에 세워두고/통영의 목 판데목이 목을 늘리고/누워 있는 곳에 우뚝 자리잡고 있는/그 아래로/
곤리도 학림도 추도 사량도로 뻗어
가는/뱃길따라 그렁그렁 갯선들이 오고 간다.

연대도 들어가는 달아포구 선착장을/
한걸음으로 가려면 지나야 하는 다리/쌍무지개 같기도 한 다리 끝자락엔/물고기 비늘 가득 담은 코발트빛 바다 물결이/천상의 언어인냥 대형 벽화 되어 출렁 거리고/길 건너면 미륵세계 풍경 소리 귓전을 맴돈다/만선의 꿈을 안고 뱃전 가득 꽂은 깃발도/ 저 푸른 해원을 향하여 다투어 펄럭거린다/
코리아 판타지가 바닷길 물결따라 흘러나오고/한아름 대여의 꽃을

안은 김약국의 딸들은/오늘도 명정샘가를 서성거리며/미수동
골목길엔 흰소와 황소가 어슬렁 거린다

새터 국밥집의 물메기탕 한 그릇 뚝딱
비우고/산양 탁배기잔에 돌문어 한 점 실경거리며/통영대교 위에
서보라!/아슴아슴 애가 타게/
젖어드는 노을 사이로/소록소록 솟아오는 푸른 그리움들이/
멸치떼로 뒤덮힌 뱃길따라/운무되어 떠다니는 이곳에 서면/누구나
한번쯤은 한려수도 낙조에 물든/
신열 달뜬 선홍빛 섬들이 된다/
그 섬자락들 울을 삼아/사랑하는 사람들과 한 오백년쯤/아우르며
살고 싶다는 생각/이 곳 통영대교 위에 서보면 안다

정한수 떠놓고

잠결에 듣던 비나이다 비나이다
칠성님*께 비나이다
자식·손주 굽어살펴주옵소서
간절한 기도소리
칠성석(石) 앞에서 옷깃 여민다

*옛 선조들이 민간신앙으로 섬겼던 북두칠성(칠성신앙)을 가리킴

[시작(詩作)노트]

우리 옛 선조들은 북두칠성을 섬겼다. 이는 선조들이 남긴 유물들에서 알 수 있다. 북두칠성은 하느님을 별(星)로 나타낼 때 붙여지는 이름이고 이를 칠성님이라 하여 하느님으로 섬긴 것이다. 칠성이란 북쪽 하늘에서 가장 밝게 빛나는 북극성을 우주의 중심으로 보아, 이 북극성을 축으로 하여 그 주위를 하루에 한 번씩 회전하는 북두칠성 별자리를 말한다.

자연 숭배사상의 하나로, 별자리 신이 천신(天神)의 사자로서 그 명을 받아 인간의 운명과 행불행을 주관하는 것으로 믿었다. 오늘날 우리는 기독교의 영향을 받아 하느님을 하나의 개념으로 인식하고 있다. 그러나 옛날 사람들은 자신들이 필요에 따라서, 장소에 따라서, 그리고 처해있는 상황에 따라서 하느님을 달리 불렀다.

북두칠성의 형상이 다량으로 발견되는 곳이 만주 땅에 있는 고구려 왕등의 선상 벽화인데, 북두칠성은 고구려뿐만 아니라 신라, 백제, 가야 그리고 고려와 조선의 별이었다. 우리가 우리의 주변을 주의해서 살펴보면 선조들이 남긴 유적, 즉 글이며 석물이며 풍습 또는 우리민족의 시조 신화, 설화에도 북두칠성은 만고불변의 지문처럼 남아있음을 알게 된다. 인간의 가장 기본적인 욕망인 수명연장과 구복, 농경사회의 전통에 의한 생자득남을 비는 칠성신앙은 우리 민족에게 너무나도 보편적인 신앙이었다.

머지않아 팔월 한가위·추석이 다가온다. 선산에 벌초 관계로 시골 고향집에 머물다가 우연히 뒷뜰에 놓여있는 디딤돌 위에 새겨진 칠성도를 발견하게 되었다. 신기했다. 누가, 왜, 어떻게,

언제, 어디서 이런 조각을 해 놓은 것일까? 어찌하여 시골집에 놓여있는 것일까? 예전에 할머니·어머니가 장독대에서 정한수 떠놓으시고 칠성님께 손모아 기도드리던 그 모습이 아련히 오버랩 되었다. 그리고 과연 '나의 현재 모습은 그 기도에 부응하고 있는 것인가?' 뒤돌아보며 흐트러진 옷깃을 여미는 시간이 되었다.

잘살아라

억겁 인연 속 하얀 은하수를 건너
두별이 축복으로 만나
뜨거운 가슴 맞대고 두 손 꼭 잡았구나
섬김과 존중 사랑과 믿음의
공든 탑 쌓아가며 부디..

*신혼부부에게 선물한 인두화-최진태 作
*모란의 꽃말은 부귀·영광·행운·행복한 결혼·
 부부간의 변함없는 사랑을 상징

[시작(詩作)노트]

《님들의 결혼에 부처》

아, 오늘은 아름다운 약속의날!/
오늘은 새 길을 여는 축제의 날!/
내딛는 발자욱마다 햇살이 눈부시다/
하얀 은하수를 건너온 두 별이/ 축복으로 만나/
온 세상 하늘과 온 동네 지붕을/
환하게 밝히며 내려왔구나/
뜨거운 가슴 맞대고 손 꼭 잡은/ 그대들이여/
오늘 그대들을 바라보는 많은 눈빛이/ 따사롭다.//

사랑하는 나의 아들 정용아!/
사랑하는 나의 며느리 유진아!/
오늘 이 순간 그대들은/
이 세상에서 가장 아름다운 신랑과/ 신부가 되었구나/
사랑하는 나의 며느리 유진아!/
그대가 나의 며느리가 되어서 참으로/ 고맙다/
그대가 우리 가족이 되어서 참으로/ 기쁘다/
거대한 우주가 성큼 들어섰구나//

그대들의 만남/
억겁 인연 중에 인연이며/
축복임에 감사하라/
광활한 대평원 펼쳐진 삶의 영토에서/
사랑과 믿음의 공든탑을 쌓아가라/
섬김과 존중으로 다져가라/

본시 사랑의 본바탕은 곱기만/ 하다지만/
만화방창(萬花方暢) 봄날 있으면/
시린 바람 거센 물결도 이는 법/
천년을 유장히 흐르는 저 남강물처럼/
스스로 새로와 지면서 장성(昌盛) 해/ 실지어다/
해와 달을 우러러 한점 부끄럼 없기를/ 천길 가슴 속에 담아두라/
가슴에는 사랑./
머리엔 지혜,/
얼굴에는 미소로/
새 세상 새 생명 가꾸며 살아 갈지어다//

천지신명이시여!/
이들을 축복하여 주시옵고/
이들을 지켜 주시옵소서/
사랑하는 나의 아들 정용아!/
사랑하는 나의 며느리 유진아!/
부디 행복하게 잘 살아라!!!

타는지 부는 것인지

천지를 허무는가
허공도 함께 운다
오직 두 줄의 현과 울림통 속에서
우주의 빅뱅이 들고 나는
경계없는 만(萬)소리꾼

남영주 해금연주자.

[시작(詩作)노트]

해금은 동아시아 전통악기를 총칭하는 호금(胡琴)류 악기에 속하며 상당히 다양한 음색을 낼 수 있고 조 옮김도 자유로워서 국악기 중에서도 널리 애용하는 악기다. 순우리말로 '깽깽이'나 '깡깡이'라고 하는데, 공명통에서 울리는 특유의 비성(鼻聲) 때문이어서 그렇게 부른다.

국악곡에서 해금은 거의 빠지지 않는 악기이며, 최근 창작곡에서는 독보적인 음색으로 합주 시 주선율로 이끌어가는 역할도 하고 있다.

해금은 아쟁과 같이 줄이 있고 활로 연주하기 때문에 현악기로 인식되나, 정악에서는 음을 지속한다는 설정으로 관악기에 분류된다. 해금은 피리와 함께 민속음악에서 결코 빠지지 않는다.

2000년대 이전에는 장사익의 '찔레꽃', 이상은의 '몽금포타령', 롤러코스트 2집의 'Love Virus' 등의 음악에서 가끔 들리는 정도였으나, 2002년 한일 월드컵에서 많은 음악가들이 여러 장르의 콜라보레이션을 시도하며, 국악과 서양음악, 국악과 대중음악의 콜라보 작업이 대중의 주목을 받게된다. 이 때문에 본격적인 국악과 대중음악 간의 협업이 활발하게 이루어지기 시작하였고, '퓨전음악'이라는 말이 떠오르기 시작하였다. 2010년 드라마 '동이'에서 한효주가 해금을 연주하는 장면이 나오는데 이 곡이 바로 '하늘 끝에 이르는 바람'이라는 뜻의 '천애지아'인데 "저 하늘 위 눈물로 그린 바람의 속삭임/ 고운 빛 따라가 그 속에 잠든다/ 그리움 다 가진 그 곳은 아련한 기억속/ 그곳은 들꽃처럼 사라져 버리는 하늘 꽃 그리움들~~~"로 시작되는 가사도 정겹다.

《해금》/박선정

통속에 만물상이/
자리잡고 있는 듯이

설움도 비장함도/
고고함도 애잔함도

게다가 야옹소리도/
낼 줄 아는 익살꾼

아기 공룡 둘리가

쥬라기 공원서 탈출했나? 켜켜이
쌓인 상족암 퇴적층에서 깨어났나?
공룡알 화석에서 부화됐나?
오니 고니 지니 시니* 찾아 왔나?
궁금 또 궁금, 궁금하면 오백원

*'경남고성공룡세계엑스포'의 '온고지신(溫故知新)'
 캐릭터(공룡 4마리)이름

[시작(詩作)노트]

공룡 영화의 고전이 된 1993년 개봉된 영화, 스필버그 감독의 '쥬라기 공원'은 공룡의 대중화에 큰 역할을 했다고 볼 수 있다. 미취학에서 초등학교 저학년 연령대 아이들이 특히 열광하는 대상이기도 하다. 공상 소설은 물론 만화 패션 박물관 기념품과 애니메이션의 단골 소재가 되었다.

'아기공룡 둘리'는 김수정 작가가 1983.4~1993,8까지 근 10여 년간 월간 만화잡지 '보물섬'에 연재한 히트 작으로서, 빙하에서 깨어난 초능력을 지닌 아기 공룡 둘리가 한 가정으로 돌아와 다양한 친구들과 함께 지내면서 겪는 이야기다.

그 뒤 SBS에서 2008.12.25~2009.7.2까지 TV만화로 제작 방영되어 유명세를 타며 더 널리 알려지게 되었다.

공룡을 뜻하는 영어의 다이노소어(dinosaur)라는 단어는 무서운 도마뱀(terrible lizard)을 의미한다. 이 단어는 영국의 해부학자 겸 고생물학자인 리처드 오언(Richard Owon,1804~1892)이 1842년에만들어 냈다.

공룡은 육지에서 살았고, 물갈퀴나 날개는 없었다. 바다 파충류와 날아다니는 파충류는 공룡과 같은 시대에 살았던 조룡군의 일원이었지만 공룡은 아니었다. 모든 공룡은 파충류이지만 파충류 모두가 공룡은 아니라는 말이다. 공룡의 다리는 몸 바로 아래에 있어서 직립 자세가 가능했고 체중을 아래에 실을 수 있었다.

공룡들은 모양만큼 크기도 다양했다. 가장 작은 공룡은 닭의 크기와 거의 비슷했으며, 가장 큰 공룡은 2000년도에 오클라호마 주에서 발견된 사우로포세이돈(Sauroposeidon이)이다. 그리스의 지진의신(바다의 신)을 기리기 위해 도마뱀 포세이돈이라는 의미를 부여한 것이다. 길이가 무려 31m에 키가 18m, 무게가 60톤 가까이 나갔다. 백악기 중기에 살았던 이 공룡은 지구 역사상 가장 키가 큰 동물로 칭해진다.

오늘날 화석을 통해 알려진 공룡은 약 1000여 종이지만, 공룡학자들은 이보다 훨씬 더 많을 것이라고 말한다. 다른 공룡을 사냥해서 사는 육식공룡도 많았다. 날카로운 발톱과 이빨, 튼튼한 두 개의 뒷 다리를 이용하여 다른 공룡을 사냥하던 티라노사우루스 렉스는 가장 잘 알려진 공룡이다.

공룡은 6500만년 전에 홀연히 지구 전체에서 자취를 감추었는데, 이러한 변동 현상에 대해 여러 설명들이 있었으나 오늘날 가장 널리 인정되고 있는 것은 소행성의 충돌로 인해 전 지구적으로 엄청난 먼지를 일으키고, 이로 인해 지구의 기온이 급격히 내려감으로써 추워진 기온에 적응하지 못하고 얼어 죽거나 굶어 죽었을 것이라는 시나리오다.

한반도에 공룡 관련 지역이 많지만, 공룡 관련 관광지로 가장 유명한 곳이 경남 고성군이 아닐까. 그 중 상족암(象足巖)은 바닷가에 있는데, 상족암이라는 이름에서 보듯이 옛사람들은 공룡 발자국을 코끼리 발자국 화석인 줄 알았던 모양이다.

'경남고성공룡세계엑스포'는 고성에서 발견된 크고 작은 5000여 개의 공룡알과 공룡화석, 공룡 발자국 등의 가치를 알리고 관광 산업 육성을 위해 2006년부터 시작해 오고 있다. '고성공룡박물관'은 고성군 하이면 상족암 군립공원 내에 위치한 공룡박물관으로 공룡 관련명소로 자리잡고 있다. 그러고보니 '경상국립대학교' 상징 캐릭터도 공룡이다.

시조새는 공룡과 별개로 진화했고, 조류는 6500만년 전 공룡 대부분이 멸종 했을 때 살아남은 파충류의 특징을 가진 조류형 공룡인 셈이다. 솜털이 난 새끼 공룡화석이나, 화려한 깃털이 달린 공룡화석 등이 잇따라 발굴되는 걸 봐서도 말이다.

이처럼 공룡에 대해 알아보았지만 '우리가 아는 것보다 모르는 것이 훨씬 더 많다'는 생각을 해 본다.

앞으로 공룡에 대해 보다 더 치밀한 과학적 접근의 연구와 더불어 문화 예술면 에서는 공룡을 소재로 무한한 상상력과 창작 욕구가 불길처럼 일어나기를 기대해본다.

가을아 · 리안아

닮은 듯 다른 듯
지금의 그 순하고 가난한
눈망울
나에게도 와주었으면

[시작(詩作)노트]

고양이는 사람들과의 유대감을 중시하면서도, 자신만의 세계를 동시에 가지고 있다는 점에서 다른 어떤 동물도 주지 못하는 오묘한 기쁨과 즐거움을 안겨 주는 반려동물인 것을.

[그대 고양이여/ 최진태]

오래전 한 때는 신(神)으로도/ 받들어졌다던 그대/ 두 볼에 수줍음 한껏 감춘 채/ 장미꽃보다 도도한 저 몸짓이 눈부시다

그댈 위해 몸바쳐 집사 노릇 했다/ 손짓하면 다가오겠지/ 아니네 다가서면 물러서네/ 착착 달라붙는 멍멍이를 닮은 듯/ 안 닮은 듯/ 밀당의 고수가 되어 애간장을 태운다/ 안달나게 하는 재주를 가졌다/ 코로나 시대 적절한 거리두기는/ 알고 보니 그대의 전유물이었군/ 가깝지도 멀지도 않은 딱 그만큼

야행성의 그대/ 간밤에 더 반짝거리더니만/ 고양이 세수로 새벽을 여는구나/ 온몸 구석구석을 핥는/ 분홍빛 혓바닥의 저 현란한 춤사위/ 칼바람 쌩쌩불 듯 날이 선/ 스님의 장삼자락/ 그 정갈함을 그대 닮고자 하는가?

어리나 크나 쭉 뻗은 수염들은/ 좌중을 압도한다/ 결코 만만치 않은/ 결코 호락호락하지 않은/ 애써 근엄한 위용을 뽐냄은/ 딸깍발이 조선 선비를 닮았다/ 그래 허세로 보여도 좋다/ 내 비록 왜소해 보여도 범과 사자와 사촌지간인 것을/ 뼈대 있는 족속인 것을

무심한 듯 아닌 듯/ 째려보는 듯 노려보는 듯/ 안길 듯 도망갈 듯/

품에 들어 오다가도 어느새 새침떼기가 되고/ 도무지 헤아릴 수 없는/ 몽환 속의 너의 그 눈빛은/ 감정을 쉽게 드러내지 않는 무림고수의 눈빛/ 아니 무념무상 고승의 눈빛이다/ 그게 바로 약육강식 적자생존 속/ 야생의 눈빛이어라

여보게 벗님네들 잠시 숨을 멈추고/ 조금만 집중하여 사랑의 눈으로/ 그대를 바라볼 져/ 눈과 눈을 맞추면/ 달빛 고요함을 닮은 그대 눈동자 속에/ 온 우주가 담겨 있음을 볼 수 있을지니/ 그걸 볼 수 있는 자가/ 진정 그대의 반려자 자격이 있을진저

야옹거리기 골골거리기 하악거리기/ 그렁거리기 빽빽거리기 찍찍거리기/ 찰칵거리기 끙끙거리기 싹싹거리기/ 이런 만트라 요가적 발성의 의미를/ 알아채는 자 이해하는 자/ 그대들의 진정한 집사가 될 자격이 있을진저

저만치 앞서 까치발로 소리 없이 미끄러지듯/ 걸어가는 그댈 보고 있노라면/ 경이롭기까지/ 경신술(輕身術)의 대가로고/ 어느덧 내 발걸음까지 그댈 닮이/ 사뿐사뿐 따라 걷고 있음을 본다

'요가의 첫 걸음은 얼굴의 해맑음이요/ 몸의 가벼움'이라 했다/ 그댄 걸음 하나만 보더라도/ '동물 요가'의 고수여라

따뜻한 햇볕 아래 졸고있는 그대/ 천연덕스럽다 못해 넉살 한번 좋다/ 그리도 부산하게 뛰고 굴리고 웅얼거리더니만/ 갑자기 온 세상이 정지된 듯/ 온 사위가 고요하다/ 돌아가던 회전 목마가 딱 일시에 멈춘 듯/ 활활 타오르는 모닥불 보며/ 멍때리기라도 들어간 듯
알고 보니 꾸벅꾸벅 고개마저 떨구는/ 천하태평 천진동자였구나/

허나 잠시 졸 뿐 결코 잠들지 않으니/ 그댄 분명, 깨어있는 영혼인 게야/ 졸면서도 다 알아채니 말야

호기심 가득 담은/ 그대 등줄기 등고선 위로/ 햇살 무늬조차 둥글게 미끄러지는 시간/ 거역할 수 없는 그대의 매력/ 사랑스러움으로/ 나는 오늘도 행복하다

나를 향한 깊은 애정의 푯대를/ 그대 치켜세운 수염에서 본다/ 쫑긋거리는 두 귀에서 본다/ 살랑거리는 꼬리에서 본다

너와 난 오늘도 숨겨진/ 비밀의 코드를 풀어 가는 중/ 서로가 서로의 점자를 읽어 가는 중/ 하루 하루 한 발 한 발/ 내 깊은 담을 조금씩 넘어오고 있는/ 그대 바라보는 눈빛 그윽하다/ 가슴 따뜻해져 온다/ 오늘 그대 와락 품에 안아 보리라

야옹!

밥 한 그릇

끓어 넘친 건 눈물 닮은 밥물
한 세상 내내
끓어 넘친 건 밥물 아닌 눈물
애간장 타는
'배고프지 어여 와', 세상 모든 말

[시작(詩作)노트]

몸은 먹은 대로 된다는 말이 있다. "당신이 먹은 것이 무언지 말해 달라. 그러면 당신이 어떤 사람인지 말해 주겠다"고 했던 브리야 사바랭의 말의 의미를 되새겨 본다.

따지고 보면 모든 삶은 생명을 유지하기 위해 먹고 먹고 또 먹는 삶이다. 하루 종일 분주하게 날아다니는 새가 하는 일은 오로지 먹을 것을 찾는 일. 인간의 삶도 크게 다르지 않다. 우리가 하는 일이 밥 먹는 일이다.

삶의 가장 큰 감동은 살아있다는 그 자체다. 인생을 한껏 살아간 다는 것은 고관대작이나 대부호가 되는 것도 아니고, 행복으로 가득찬 삶을 사는 것만도 아닌 것 같다. 기쁠 때도 있지만 고독 하게 우는 날도 있고 성공의 희열을 느낄 때도, 실패로 인한 상실감으로 절망하고 낙담하는 날도 있다. 그러나 이 모든 경험은 생명을 가진 자에게만 주어진 특권이다.

"먹어야 산다." 이 짧은 문장보다 강력한 말이 또 있을까만 생명 체는 먹어야 목숨을 부지한다는 점에서 진리다. 사람도 먹어야 산다. 인간 역시 생물의 한 종(種)이기 때문이다.

"밥 먹었냐?" "때 거르지 말아라." 흔히 멀리 있는 자식에게 부모 들이 제일 먼저 묻고 당부하는 말이다. 끼니를 거르지 말라는 것이다. 아침 점심 저녁 제때 밥을 먹어야 몸의 순환과 기운을 잃지 않는다. 그래야 공부도 일도 잘하고 다른 사람과도 잘 어울릴 수 있다. 그래야 온전한 일상 생활을 영위할 수 있는 것이다.

잘한다는 것은 매사에 집중하고 몰입한다는 뜻이다. 몸의 에너지가 잘 돌면 마음이 흐트러지지 않고 말과 행동이 부드러워진다. 하는 일마다 술술 잘 풀린다고 느껴질 때야말로 몸과 마음이 가장 편안한 상태가 아닌가.

불가의 경전에서도 아침, 저녁 먹어야 할 음식이 다르고, 계절과 절기마다 먹어야 할 음식이 따로 있으며, 몸의 상태에 따라 음식을 조절하라고 가르친다. 몸의 울림은 심장에서 시작되고, 몸의 움직임은 머리에서 시작된다는 게 인체에 대한 의학적 기본 지식이다.

예전부터 한국 사람은 밥심으로 산다고 할 정도로 밥에 대해 강한 애착을 보였다. '제 밥그릇은 제가 지니고 다닌다', '남의 밥을 먹어 봐야 부모 은덕을 안다', '눈물 어린 밥을 먹어보지 않고는 인생의 참 맛을 알 수 없다' 등의 속담은 한국인의 삶이 얼마나 밥과 긴밀히 연결됐는지 알려주는 방증이다. 십시일반(十匙一飯)이란 말도 시사하는 바가 크며, '쌀독에서 인심난다'는 속담도 서로 나눠 먹는 삶, 더불어 살아감을 강조하는 말이다.

오늘날에도 이 세상에서 가장 가까운 관계인 가족은 식구(食口), 즉 밥을 함께 먹는 사람들을 가리킨다. '한솥밥 먹고 자랐다'는 말도 있듯이 밥은 사람의 일생에 깊이 관여한다.

또한 귀하고 소중한 인연들과 결별하고 그 절망과 슬픔으로 창자가 끊어질 듯한 잔인한 고통에 짓이겨질 때, 도저히 참기 힘든 결핍과 상실의 무게에 온통 머리가 하얗게 바래지고 맥없이 철퍼덕 주저앉아 버리는 감당키 어려운 상황에서도 피눈물 흘리며 꾸역꾸역 밥숟가락을 입에 떠 넣어야 하는 것이 인간 존재의 가련함이다.

그러나 나 챙겨 먹자고 그런 것만은 아니니 추모하고 애도하는 숭고한 마음도 내 몸 속의 에너지가 있어야 낼 수 있기 때문이다. 이것들 모두 밥심에서 발원된다는 이유이기도 하다. 이것이야말로 인간의 한계이자 인간으로 태어난 본태적 숙명이며 가장 인간다움의 발로가 아니겠는가?

밥을 먹는다는 것, 이 세상 그 무엇보다도 성스러운 의식임을. 오늘도 밥상 앞에 앉아 목하 "기적은 하늘을 날거나 바다 위를 걷는 것이 아니라 땅에서 걸어 다닌다는 것이니라. 하루 세끼 밥을 먹는다는 것은 우주와 더불어 사는 것이라"는 밥님의 설교를 듣고 있다.

몸의 균형과 조화를 위해서는 무엇보다 급선무는 많이 배불리만이 아닌, 자신의 몸 상태에 맞게 적절히 잘 먹어야 된다는 것임을 새삼 깨닫게 된다.

오늘 나는 그 밥값 한번 제대로 하고 있는지 돌아보리라.

님같이

닫힌 여인 닫힌 남자를
정조 굳다 입 무겁다 한다죠
아시죠? 긴 말 안 해도
겨울철, 사랑의 묘약
드세요 사랑하리라 더 오래 더 뜨겁게

[시작(詩作)노트]

가을이 깊어가고 있다. 갈수록 기온이 차가워지며 머지않아 초겨울의 문턱에 도달할 것이다. 이런 계절에는 영양의 보물창고인 '굴(oyster)'이 딱 적격일 것 같다.

한 일간지에 의하면 국내 양식 굴, 연간 생산량의 약80% 가량이 통영 등 남해안 일원에서 생산되며, 또 전체 생산량의 30% 가량이 미국과 일본 등지에 수출 된다고 한다.

요즘 통영시 인평동 천대마을을 비롯하여 통영 곳곳의 박신장(굴을 까는 공장)에서는 대낮인데도 전기불이 환하게 켜져있는 가운데 왁자지껄 유쾌한 웃음소리, 음악소리와 함께 아낙네들의 굴까는 작업이 한창이다.

흰빛깔과 암갈색이 섞인 먹음직한 '생굴'이 쉴새없이 바구니에 담겨지는 모습이 이채롭다. 한려수도 바닷가를 낀 통영, 거제, 고성 등의 정겨운 겨울철 풍경이다.

굴은 흔히 '바다에서 나는 우유'라고 한다. 칼슘과 아연이 풍부하다. 굴에 포함된 칼슘은 콜로이드 형태로 쉽게 흡수되고 멸치 다음으로 양이 많아 골다공증 예방에 도움이 된다.

굴은 지용성 및 수용성 비타민이 비교적 풍부하고 구리, 철, 마그네슘, 요오드 등 무기질도 많다. 육질이 부드러워 마르고 식욕없는 사람의 소화기능을 북돋운다. 굴에 포함된 마그네슘은 외부자극에 의한 과도한 신경흥분을 억제하기 때문에 정신적, 육체적 긴장을 풀어주고 혈관의 탄력성을 유지시켜 고혈압 등의 예방에 도움을 준다. 타우린이 풍부해서 과음으로 인한 간 기능 저하를 완충해 주기 때문에 애주가들에게는 더없이 좋은 안주가 된다.

굴 광고엔 '남자는 여자를 위해, 여자는 남자를 위해 먹는다'는 아리송한 문구가 눈길을 끈다.

고대 그리스인과 로마인은 생굴이 바로 '사랑의 묘약'이라고 믿었다. "굴을 먹어라, 보다 오래 사랑하리라(Eat oysters, love longer)"했으며 쥴리어스 시저, 나폴레옹 등 정력적인 남자들이 굴을 즐겨먹었다고 한다.

서구 사람들은 수산물을 날로 먹지 않는데 굴만은 유독 예외였다. 굴에 대한 속담도 여럿 전해지는바 "배 타는 어부의 딸은 얼굴이 까맣고, 굴 따는 어부의 딸은 하얗다"라는 표현은 굴이 멜라닌색소를 파괴하는 기능을 갖고 있어 피부를 아름답게 하고, 얼굴색을 좋게 한다는 굴의 효능을 잘 나타낸 것이다. 또한 '굴같이 닫힌 여인'은 성조가 굳은 여인을 일컫는 말이며, '굴 같은 사나이'는 입이 무거운 사람을 칭한다는 것을 요즘처럼 가벼운 입들이 난무하는 세태를 돌이켜보면서 떠오르는 구절이다.

굴은 생것으로 초고추장에 찍거나 밀가루를 입혀 튀겨먹거나 고춧가루와 무 등에 버무려 무쳐 먹어도 좋다. 굴젓으로 담아 먹어도 좋다. 또한 쌀에 굴을 얹어 굴밥을 해먹어도 좋다. 굴 국밥도 좋다. 그러나 겨울철에 굴 먹기 낭만은 뭐니 뭐니 해도 활활 타오르는 참숯나무 숯불에서 석쇠에 구워먹는 구운 굴 맛이 일품이다. 비록 날아오르는 숯불의 재랑 굴 껍질이 불길에 톡톡 튀어 오르며 주위를 조금 지저분하게 하는 것 정도는 애교로 받아준다면 말이다. 주당이라면 소주 한잔 곁들여 집게로 뒤척거리며 지글거리며 뽀얗게 익어가는 굴 한 점을 초장에 찍어 먹는 멋! 이 어찌 꿈엔들 있을쏘냐.

어느 날 사는 게 참 팍팍하다는 생각이 문득 들 때, 꼭 한번 이런류의 낭만 한번, 호사(?) 한번 누려보시길 권하는 바이다.

삶의 활력소, 청량제가 될 수도 있기에.. "남자는 여자를 여자는 남자를 위해/

먹는다는 강정식품, 일명은 사랑의 묘약/칼슘 아연 마그네슘 무기질의 보물창고/기력회복 빈혈예방 뼈튼튼엔 유구무언/굴밥 굴죽 어리굴젓 쓰임새도 많더이다/김장김치 굴 한줌 섞으니 감칠맛을 더하네

돈후한 카사노바 나폴레옹 클레오파트라/미식가 정력가 권력가 섹스심벌/하나같이 굴의 힘 빌려 얼쑤절쑤 살고가다니/사랑과 미의 여신 아프로디테가 탄생한 굴

패총 흔적 아득하다 돌에 핀 꽃 바다의 우유/에너지와 생명력의 원천으로 받들었군/미끈매끈 아리통통 뭉클몽클 시큼새콤/요리 저리 벙긋방긋 몸짓으로

유혹하는/알싸한 여인의 향기

먹먹한 가슴앓이"

봄처녀

산다는 건 묵묵히 견뎌 내는 것
엄동 딛고 버선발로 뛰어 오셨군요
그대 맘껏 누리소서
대 구속 뒤의 대 자유를
저, 은백색 해탈의 웃음

[문향천리(聞香千里) 매화]

만물이 겨울잠을 깨고 기지개켜는 초봄의 산하에 맨 먼저 매화나무의 꽃봉오리가 피어나고 있다. 매화는 서리와 눈을 두려워하지 않고 언 땅위에 청아한 꽃을 피워 그윽한 향기를 뿜어낸다. 매화는 만물이 추위에 떨고 있을 때 봄의 문턱에서 꽃을 피움으로써 사람들에게 삶의 의욕과 희망을 가져다주며 힘찬 생명력을 재생시키는 기대를 가지게 해준다.

특히 겨울동안 마치 죽은 용의 형상과 같은 고독에서 꽃이 피어나는 것은 지치고 쇠약해진 봄에서 다시 되살아나는 회춘을 상징하기도 한다. 그래서 새해 소망을 기원하는 연하장에는 이 매화가 어김없이 등장하나 보다.

매화는 오랜 추위와 기다림 끝에 핀 꽃이건만 무욕의 모습이면서도 절제와 함축미를 갖춘 달관의 얼굴이다. 매화의 고자(古字)는 모(某)인데 매(梅)의 본자이다. 매는 어머니(母)가 되는 것을 알리는 나무라는 뜻에서 유래된 것이라 한다. 임신을 한 여자들은 신맛이 있는 과일을 찾게 되는데 매실은 신맛이 강해서 여자들이 매실을 찾으면 임신한 것이므로 매실 열매가 출산의 전조를 나타내는 것이라는 데서 유래되었다고 본다.

매화는 온갖 꽃이 피기도 전에 맨 먼저 피어나서 봄소식을 가장 먼저 알려준다. 이른 봄, 맨 먼저 꽃을 피운다 하여 꽃의 맏형 '화형(花兄)', 꽃의 우두머리 화괴(花魁)라 부르기도 한다. 매화는 힘든 세상 속에서 희망의 싹을, 마음의 봄을 제일 먼저 알려주는 꽃이기도 하다. 사람들에게 사랑의 체온과 향기를 불어 넣어 주는 꽃이다.

우리가 산다는 건 희망을 향해 걸어가는 길, 그 길이 비록 험난해도 우리는 극복할 수 있는 의지를 갖고 있다. 어느 철학자는 인간을 '살려고 하는 의지의 동물'이라고 일컬었다지, 그러나 이러한 의지와 극복의 힘을 갖고 있어도 희망을 잃어버린다면 그 모든 것이 물거품이 된다는 사실을 너무도 잘 알고 있기에 희망의 싹, 희망의 봄을 알려주는 매화는 더욱 경외스럽게 비쳐지나 보다.

매화는 그 아름다운 자태와 비견할 또 하나의 매력은 그 향기에 있다. 그래서 매화를 노래한 시 가운데는 그 향기를 기린 것이 수 없이 많다. 이 세상 어느 꽃향기가 인고를 딛고 눈 속에 서서 피는 매화꽃 향기에 비하랴. 매화의 향기는 담원성이다. 강하지도 약하지도 않으며 있는 것 같기도 하고 없는 것 같기도 하듯 꿈결처럼 풍겨오는 것이 매화의 향기이다. 선인들은 매화의 향기를 바늘이 떨어지는 소리가 늘릴 성노의 성석 속에서 기노하는 심정으로 마음을 가다듬는 분위기에서라야만 비로소 느낄 수 있다고 말한다.

매화는 옛부터 사군자 중 첫 번째로 선비로 의인화하여 동양화의 한 편에 자주 등장한다. '매일생한불매향(梅一生寒不賣香)'이라는 말은 매화는 성품이 고상하여 일생을 추위에 살아도 향기를 팔지 않는다는 말이다. 또 '매경한고발청향(梅經寒苦發淸香)'이라는 말은 겨울에 억센 추위를 견뎌야 이듬해 피운 향이 훨씬 진하다는 뜻으로 일시적인 안락을 위해 향을 팔아 몸의 이로움을 꾀하지 않는다는 오롯한 선비정신을 담고 있다. 또한 풍류객들은 매화꽃 향기는 코로 맡는 게 아니라 귀로 들어야 제격이라고 말한다. 그런 여유로 매화의 향기가 멀리까지 풍기는 것을 문향천리(聞香千里)라 했다.

게다가 여기에 매화송이 하나 뚝 따서 술잔이나 찻잔에 띄워 놓으면 그 향과 어울리는 알코올과 차의 맛이란 익히 계절에 관계없이 평화로움과 아늑한 정취를 온 몸으로 느낄 수 있는 최고의 호사가 될 것이다.

우리는 지금 매화를 닮은 사람이 그리운 시절을 살고 있다. 인고의 계절에 그윽한 향기를 품고 피어나는 매화 같은 사람. 매화를 보면 우리가 어떻게 살아야 할 것인가 또 어떤 향기로 남을 것인가를 생각하게 된다. 마침내 우리의 삶과 인생은 어떤 고난과 시련 속에서도 매화처럼 피어나야 함을 보여준다.

흐르는 게 세월의 강물만은 아닌 것 같다. 매화의 향기가 흐르고 있다. 아름다운 우리 인생도 흘러가고 있다. "좋구나 매화로다 어야 더야 어허야 에~디여라 사랑도 매화로다" 매화타령 한 곡조 걸쭉하게 뽑고 싶어지는 희망의 봄이 왔다.

보이는게 다가 아녀

오돌톨톨 울퉁불퉁 미끈미끈
밟아도 밟아도 일어서는 민초들 후예
한 토막 잘근잘근 씹어 보슈
온통 바다의 향 너머로
불끈불끈 솟구치는 남성의 기개를

해삼(海蔘)은 바다의 인삼으로도 불린다. 해삼에는 아이너리하게도 인삼처럼 사포닌이 함유되어 있다는 사실이 놀랍다. 해삼을 바다의 삼이라 부르게 된 것도 우연의 일치가 아니었던 모양이다.

해삼은 예로부터 다양한 이름으로 불렸다. 쥐처럼 밤에만 돌아다닌다고 해서 해서(海鼠), 모양이 남성 생식 기와 비슷하다고 해서 해남자(海男子), 바닥에 사는 고깃덩이라는 의미의 토육(土肉), 검은 벌레라는 뜻의 흑충(黑蟲), 모래 위에서 물을 뿜어낸다고 해서 사손 등으로 기록 됐다. 서양에선 오이처럼 생겼다고 바다의 오이(see cucumber)라고 부른다. 해삼이란 단어는 명나라 말기에 수필집인 '오잡조'(1600년 전후)에 처음 나온다.

해삼은 어류는 물론 아니며, 몸이 부드럽기 때문에 연체동물이라 생각할 수도 있으나, 성게나 불가사리와 같이 껍질에 가시 같은 게 돋는 동물인 극피동물이다.

해삼은 색깔에 따라 청해삼, 홍해삼, 흑해삼 등으로 구분하여 부르기도 하는데 이들 대부분은 같은 종이다. 다만 선호하는 먹이와 서식처에 따라 표면의 색깔이 달라졌을 뿐이다. 바위에 부착된 홍조류를 주로 먹고사는 해삼은 붉은 색을 띠고, 내만의 펄 속 유기물을 주로 먹고사는 해삼은 암록색이거나 암흑색을 띤다. 홍해삼은 생산량이 그리 많치 않으며 쪄서 말린 홍삼과 비슷해서 값이 더 나간다.

또한 해삼은 향이 있는데 차(茶)와 마찬가지로 씹으면 씹을수록 뒷맛이 남는 향이 진하다. 혹자는 바다의 향을 엑기스화 시킨 것이라 말하기도 한다.

해삼을 비스듬히 얇게 썰어 그릇에 담으면 바깥 부위에 붉고 검푸른 색깔에서 부터 안쪽 조직의 흰 색깔까지 다채로운 색채를 볼 수 있어 눈이 즐겁다. 이걸 일러 '색깔의 춤을 춘다'고 정현종 시인은 말하고 있다.

해삼은 끈질긴 민초들의 삶 마냥 재생력이 아주 강하다. 적의 피습을 받거나 강자극을 주면 창자를 버리거나 몸을 스스로 끊어버리기도 하는데 반면에 재생력이 아주 강해서 수개월 정도 지나면 파손된 곳이 다시 재생된다.

해삼은 앞서 언급했듯이 바다의 인삼으로 불리며 나이아신, 철분, 칼슘, 인, 무기질이 풍부하여 혈액 정화와 피부 미백 효과가 있다. 항염증, 항암, 위궤양, 고혈압에 좋으며, 말려서 한약재로 사용되기도 한다. 여자에게는 임신 전후로 몸을 보하고 남자에게는 체력보강 식품으로 추천된다. 일반적으로는 날로 먹으며, 데친 후 물회로 이용되기도 한다. 해삼의 연골에는 콘트로이틴 성분이 들어 있어 내장을 보호하고 술독을 중화시키며 피부 노화를 예방하기 때문에 수산식품 중 최고의 강장식품으로도 손꼽힌다.

해삼은 점탄성을 보이기 때문에 처음엔 부드러우나 자극을 주면 딱딱해진다. 그래서 씹으면 씹을수록 딱딱해지는 식감을 가지고 있다. 그러나 씹을수록 식감 자체는 상당히 진미이다.

해삼 창자로 만든 젓갈은 일본말로 '고노와다'라고 하는데 향이 강하고 맛이 뛰어난 고가식품으로 미식가들이 즐겨 찾는 식품이다. 길다란 창자를 정갈스럽게 씻고 다듬어 좋은 정제염을 적절히 넣은 후 봉한 다음 1주일정도 지나면 젓갈 특급품이 된다. 또한 짚과 해삼은 상극인데, 해삼을 짚으로 묶어 놓으면 흐물흐물 녹고 만다. 그래서 민간요법으로 해삼을 먹고 탈이 나면 짚을 달여먹기도 했다. 볏짚에 있는 고초균(枯草菌) 때문이다.

예전부터 맛보다는 오히려 건강을 위해 더 식용했을 법한 해삼, 횟집어서 본 메뉴가 나오기 전, 단순한 에피타이저로만 생각해서는 안될 일이다. 이리 귀한 해삼의 가치를 알았으니 말이다.

그런 의미에서 오늘 해삼 한번 드셔 보시지 않을런지요? 다소 비싸지만 흔치 않은 홍해삼이 눈에 들어 온다면 큰 마음 먹고 웬 횡재냐 하면서 장바구니에 과감히 담으셔도 좋을 듯 하다. 온 가족의 건강과 부부금슬 화목까지 생각한다면 말이다.

동자승

보았니?
진흙탕 속 불밝힌
관음님 자태
꿈속에서 맡아보던
엄마의 향기도

[시작(詩作)노트]

《염화시중의 미소-연꽃》

가섭존자가 부처님의 참 뜻을 헤아리고 미소를 지었다고 하는 꽃이 바로 연꽃이다. 그래서 연꽃하면 으레 깨달음의 꽃, 빛의 꽃으로 통하곤 한다. 이심전심(以心傳心), 교외별전(敎外別傳)의 상징으로 종종 비유되기도 한다.

연꽃은 우리나라에 불교문화가 들어오면서 불상, 불화, 탑, 건축물, 불구 등에 널리 그 모양이 활용되었다. 고려 때는 연뿌리와 연꽃 봉우리까지 감히 건드리지 못할 정도로 연꽃의 종교적인 상징성이 컸다.

연꽃은 우리 정신문화의 한 중심에 피어 있는 꽃이다.

홍련, 백련, 황련, 어리연, 가시연 등 종류도 많다. 깊고 더러운 곳일수록 더욱 함박스럽게 핀다. 캄캄한 하늘을 이고도 대낮처럼 밝게 빛난다. 연꽃은 늪이나 연못의 진흙 속에서도 맑고 깨끗한 꽃을 피워내는 처염상정(處染常淨)의 꽃이다. 대부분의 꽃은 꽃잎이 지고 씨방이 여물어 가지만 연은 꽃이 피면서 동시에 열매가 그 속에서 자리를 잡는다. 원인과 결과가 늘 함께하는 인간의 도리를 암시해 주고 있다.

불가에서는 연꽃을 '만다라화'라고도 한다. 삼라만상을 상징하는 오묘한 법칙이 연꽃에 드러나 있기 때문이리라.

연꽃은 아름다우면서도 고결한 풍모를 지니고 있어 세속을 초월한 깨달음의 경지를 연상케 한다. 그것은 곧 성자(聖者)의 모습에 비유 될 수 있다.

연씨의 생명력은 실로 놀라운 바가 있다. 어떤 인문학자가 이탄층에서 발견한 연씨를 발아시키는데 성공했는데 그 지층의 연대가 삼천년 전으로 추정된다고 한다. 경남 함양의 성산산성에서 발굴된 연씨가 700여년 만에 꽃을 피운 아라홍련의 사례가 있듯이 생명력이 강한 꽃이다.

속세의 번거로운 일들에 물들지 않는 꽃이라 하여 군자화라고도 불렸다. 동양의 얼굴 같다. 둥글고 원만하고 보고 있으면 마음이 절로 온화해지고 즐거워진다. 또 연잎에 이슬이나 빗물이 앉으면 고개 숙여서 자신을 비울 줄 안다. 자신이 감당할 만한 무게만큼 싣고 있다가 그 이상이 되면 비워 버리는 것이다. 그래서 비움의 꽃이라고도 한다. 연꽃은 꽃과 잎이 함께 나오는 것이 아니라 잎을 가지고 자라는 줄기와 꽃을 가지고 나오는 줄기가 다르다. 절대로 한 줄기에서 잎과 꽃이 피지 않는다.

연꽃은 외롭게 혼자서 피게 된다. 그래서 무소의 뿔처럼 우뚝 서 홀로 가는 모습을 연상케 한다. 인도 고대 종교에서는 '무명(無明)을 깨치는 태양을 낳는 꽃'이었다. 그것을 범어로 하면 연이, 여니, 요니(yoni)라 한다. 그리하여 연꽃은 우주 창조와 생성의 의미를 지닌 꽃으로 믿는 연화사상에 등장하게 되었다. 요가에서는 우리 몸 안에 일곱 군데 에너지 센터를 상징하는 성스러운 꽃으로 묘사된다.

고구려의 쌍영총과 백제 부여의 능산리 고분 벽화에도 연꽃이 그려져 있다. 당나라 현종이 해어화(解語花)라 하여 말을 알아듣는 꽃으로 양귀비를 비유한 이후로 아름다운 미인을 지칭하기도 하고, 미인의 걸음걸이를 연보(蓮步)라 이른 것도 모두 연꽃의 고귀한 자태를 대변한다. 이집트 신화나 그리스 신화에서도 연꽃은 사람과 여성의 생식을 상징하였다. 태양신을 상징하던 고대 이집트에서는 연꽃을 태양의 상징으로 신성시 하였다. 연꽃은 현재 이집트, 인도, 베트남, 몽골 등의 나라꽃이다.

불속에 핀 연꽃이란 뜻으로 화중련(火中蓮)이란 표현도 예사롭지 않다.

옛 풍류객들은 먼동이 틀 무렵 연꽃이 꽃잎을 튀울 때 여기 저기서 '픽'하고 둔탁한 소리를 내며 피는 '개화성(開花聲)'을 들었다고 한다. 세상 천지에 이만한 풍류가 또 있을까? 연은 대단히 유용한 식물로 식용 또는 약용으로도 애용된다. 연근, 연밥, 연잎, 어느 부위 하나 버릴 게 없는 식물이다. 특히 연차는 피를 맑게 하고 마음을 편안하게 해주며 입냄새와 니코틴을 제거시켜주고 숙취를 해소 하는데 좋다 하여 인기가 좋다.

주장자 내리치는 선지식의 기상으로 피어나 불볕더위 속 이 땅을 가득 메우고 있는 연꽃들의 합창, 그 소리없는 외침은 인간 세상을 향해 탐욕도 내려 놓고 번뇌도 떨쳐버리라고 한다. 청정한 연꽃 향기가 세상을 덮으며 범부들의 세계에서 또 한번 조용히 연꽃을 초들어 보이시는 영산(靈山)의 회상(會上)이 전개되고 있다. 이 여름 밤에 과연 누가 염화시중(拈華示衆)의 미소를 지을 것인지, 가섭존자처럼.

《 연꽃 》

"쌓이는 이슬방울/ 또르륵 똑 다 비우고/진흙 속 피워 올린/ 하늘나라 닮은 미소/그 미소 고운 향 되어/ 온 천지를 향기롭게 새벽 별 떠오를 때/ 꽃망울 터트리는/
은은한 백련 홍련/관음 손길 닮은 사랑/그 사랑 어둔 하늘을/ 대낮처럼 밝히네"

해후

꿈길에서나마 맡고 싶었던
꿈속에서나마 보고 싶었던
돌아볼 외길 하나 내고 싶었던
풋된 청춘의 아릿한 기억 저편
순이, 산모롱이에 배시시 웃고 서있다

[시작(詩作)노트]

우리 민족의 애환과 정서를 담고 있는 -찔레꽃

봄의 끝자락과 초여름의 경계라는 오월을 신록과 장미의 계절이라 하지만 산과 들판으로 나가보면 오히려 찔레꽃의 계절임을 알게 된다. 찔레꽃은 산골처녀처럼 때 묻지 않았으면서도 그 안에 감추어진 아름다움으로 주위를 온통 밝게 만들곤 한다. 장미처럼 화려하지 않지만 단아한 기품이 있고 맑은 향기가 사람 마음까지 파고드는 찔레꽃, 우리 민족의 애환과 정서를 고스란히 담고 있는 어여쁜 꽃이다.

다섯 장의 꽃잎을 활짝 펼치고 가운데의 노랑꽃술을 소복이 담아 든다. 꽃의 질박함이 유난히도 흰 옷을 즐겨 입는 우리 민족의 정서와도 맞는 토종 꽃이다. 찔레꽃 흐드러지게 핀 꽃 자락에 다가가면 싸움에 지고 돌아와 어머니 무릎 베고 누웠던 유년의 저녁처럼 조금은 서럽고 아득해진다. 바람결에 풍겨오는 강렬하고도 짜릿한 찔레꽃 향은 마치 혼을 빼앗듯이 진하며 깊이가 있고 황홀하다. 독특하고 매혹적인 향기로 인하여 향기의 여왕이 되고 산야의 주인공이 된다.

찔레꽃은 들장미라 부르듯이 우리나라 산야 어느 곳에서나 피어 나는 야생의 꽃이다. 찔레꽃은 척박한 땅과 자갈밭을 구분하지 않고 깊이 뿌리를 내리며 흙 내음과 바람 속에서 순백의 꽃을 피워 올린다. 가뭄과 폭풍우에도 굴하지 않고 청순한 자태와 매혹적인 향기를 잃지 않는 꽃이다.

꽃과 향기가 찔레꽃의 특징이라면 가시는 운명 같은 속성이다.

꽃과 향기에 취해 무심히 다가가 손을 내밀다간 가시에 찔리고 만다. 가시를 마다 않고, 찔릴 것을 마다 않고 무모 하리 만치 다가 가는 그 무엇, 그게 사랑이 아닐까? 세상에 쉬운 사랑 법은 없는 법이니까.

찔레꽃은 아련한 추억이 많이 묻어 있다. 어린 시절 나무 사이에 여린 새 순이 돋아나면 조심스레 꺾어서 가시가 달린 껍질을 벗겨 먹었다. 씹으면 아삭아삭 하고 달콤했던 기억이 있다. 먹을 것이 부족하고 배고팠던 그 시절 아이들에게는 훌륭한 간식거리 였다.

찔레꽃은 다양한 약효를 갖춘 식품이기도 하다. 찔레 순에 겨자 소스를 쳐서 샐러드를 만들어 먹으면 겨우내 몸 안에 쌓여있는 독소를 제거해 주는 약효가 있다 한다. 찔레꽃을 따다가 약간의 소금과 식초 몇 방울을 넣은 물에 깨끗이 씻은 뒤 그늘에서 며칠 말려서 뜨거운 물에 우려내면 좋은 찔레꽃 차가 된다. 혈액 순환도 잘 되고 신경통, 소변불통 등에도 좋은 효과가 있다. 찔레꽃 열매를 한방에서는 영실(營實)이라고 하여 약재의 새료가 된다.

꽃처럼 빨갛고 구슬처럼 빛나는 열매는 겨울까지 남아 산새나 들새의 먹이가 된다.

서양에서는 찔레 뿌리로 담배 파이프를 만들었다. 최고급 남성용 담배 파이프의 대명사인 던힐의 창업주 앨프리드 던힐이 런던 듀크가에 담배 가게를 열면서 만든 것이 바로 찔레 뿌리로 아름 답게 수가공한 파이프였다.

로마 신화에서도 사랑의 전령 큐피트가 아름다운 찔레꽃을 보고 너무도 사랑스러워 키스를 하려고 입술을 내밀었을 때 그 속에 있던 벌에게 쏘이고 만다. 그 때 여신 베누스가 큐피트에게서 침을 빼내어 찔레나무에 꽂은 이후로 찔레꽃에는 가시가 생겼다는 이야기가 전해 온다.

백석이 좋아했던 독일의 낭만파 시인 라이너 마리아 릴케는 말년에 찔레꽃 가시에 찔려 그 상처로 인해 죽었다. 마흔 훌쩍 넘어 가수가 된 장사익이 뿜어내는 "찔레꽃 향기는 너무 슬퍼요/ 그래서 울었지 목 놓아 울었지"라며 목청껏 구성지게 부르는 노래에는 찔레꽃의 슬픔이 배여 난다. 또 "찔레꽃 붉게 피는 남쪽나라 내 고향/ 언덕 위에 초가삼간 그립습니다."로 시작되는 백난아의 '찔레꽃'은 타향살이 하던 설움에 고향 그리는 애절한 바람이 담겨 있다. 고향을 떠난 수많은 사람들의 향수를 달래주었던 노래로 유명하다.

"갯마을 해너머가는 저 노을보다/더한/핏빛 서러움/ 소복으로 단장한 그대/굽이굽이 구절양장 가시밭길/켜켜이 옹이진 가슴/ 삭이다 삭이다/마침내/터질 듯 한 절규/ 회한의 피울음 삼키며/ 가녀린 어깨 들썩거릴 때마다/흰 꽃송이 연두 꽃송이 되어 나투이다가/청상 여인의 아찔한 분향기 되어/바람결에 묻어나누나."

필자의 졸시 '갯마을 찔레꽃'을 읊조려 본다. 찔레꽃이 질 때면 뻐꾸기가 이 산 저 산에서 슬피 운다. 어디선가 처량한 뻐꾸기 울음소리가 들릴 듯 말 듯 한 계절이다.

패밀리

영혼과 영혼의 교감,
울컥 목이 메인다
무심한 듯 달관한 저 아린 눈빛
불이법문(不二法門) 한 소식
들려오는 듯

*불이법문(不二法門): 대립하는 두 존재가 본질적으로 볼 때는
둘이 아니라는 것을 설(說)한 법문 (반려견과 인간 역시..)

[시작(詩作)노트]

현대 사회에서는 인간이 갈수록 고립되면서 개는 가족의 반열에 올랐고, 사람과 같은 급으로 대접받게 되었다. 개만큼 사람과 지근거리에서 오래도록 사랑받아 온 동물도 드물 것이다. 개는 붙임성이 좋고 한번 맺은 관계에서 헌신적이고, 흐린 데 없이 맑고 명랑한 동물임에 틀림없다.

'침입종 인간'의 저자는 "인간이 개를 가축화한 건 도구의 발명과 맞먹는 도약"이라고 강조한다.

실로 개는 둥그스름한 원통의 바퀴처럼 움직이고, 몸뚱이로 부딪치고 뒹굴면서 활기와 생기로 충만한 동물이다. 사람과 개가 교감할 때면 옥시토신이라는 호르몬이 솟는다고 한다. 아기를 낳거나 아기에게 젖을 먹일 때 특히 많이 나오는 '사랑 호르몬'이다. 사람과 개가 사랑스러운 감정을 나누는 본질은 부모와 자식 사이의 감정과 같다는 얘기이다.

인간이 개를 바라보면 개도 인간을 바라보고 눈을 맞춘다. 이것은 단순히 반려 동물과 감정을 나누는 행동이 아니라 오늘날의 인류를 만든 중요한 사건의 하나라는 주장이 최근 제기되고 있다. 개만 가지고 있는 장점이 있는데 그게 바로 감수성이다.

'장구피(皮)'는 개 가죽을 으뜸으로 친다던데, 프랑스 사람들이 감격해 마지않는 사물놀이패의 악기 중의 하나가 그 장구라는 걸 안다면 어떤 표정을 지을까?

때론 저들도 사람만큼 표정이 다채롭고 풍부함에 놀랄 것이다.

먹이를 줄 땐 침을 흘리면서 꼬리를 달랑거리며 다가와 환하게 기쁨을 표시하고, 혼자 두고 외출할 때에는 금방 두 귀가 처지며 시무룩해지는 표정을 짓는 걸 한번 보시길. 사람과 반려견과의 정서적 유대감도 이런 감정의 소통과 공유의 결과물이 아닐까.

AI 로봇 등이 인간의 자리를 메꾸어 가고 있다고는 하지만 인간의 감성지수를 만족시키고 따라가기에는 아직은 역부족일 듯하다. 그러한 빈자리를 채워주고 있는 것이 바로 반려견이다.

"개는 가장 오래된 가축으로 길러져 주인을 잘 따르는 충직한 반려동물이다. 나아가 개는 이제 애정의 대용물이 되어 인간을 고독으로부터 방어한다"라고 이어령은 말하고 있다.

어느 한 시인은 한 사람이 내게 온다는 것은 온 우주가 들어오는 것이라 비유했다. 그렇다면 한 반려견이 내게 온다는 것은 온 우주가 들어온다고 말할 수 있지 않을까?

개를 우리의 삶에 들이기로 했다는 것은 '요람에서 부넘까시' 책임지기로 한 것이라 여겨진다. '검은 머리 파뿌리가 되도록'으로 **시작하는 결혼 서약처럼, 건강하고 사랑스럽고 예쁠 때만이 아니**고, 늙고 병들고 초췌해져도 끝까지 책임진다는 자세 역시 반려동물에 대한 최소한의 의무이고 도리일 터.

애완동물은 주인의 펫(pet)에 머물지만, 반려동물은 같은 집에 사는 사람의 반려자이며 동료이고 동반자일 뿐만 아니라 사회공동체를 구성하는 다른 사람들에게도 똑같은 위치가 될 수 있어야 한다는 뜻이다. 이제 그에 걸맞은 대접을 해줄 때가 되었다.

개의 학명이 '카니스 루푸스 파밀리아스(canis lupus familiaris)'인 것처럼 개 특유의 친화력은 어느 동물도 따라오지 못한다. 학명에 '가족, 파밀리아스(familiaris)'라는 의미가 들어 있는 동물은 개밖에 없다는 사실이다.

세계적인 개 행동심리학자인 마크 베코프(Marc Bekoff)는 "사람들은 개에 대해 너무 모른다"고 일갈한다. "개와 함께 산다는 것은 늘 수많은 협상이 이루어지는 평생 동안의 헌신"이라는 그의 말을 새겨들을 필요가 있다.

이제 "잘 키운 반려견 한 마리 열 친구, 열 이웃 안 부럽다"는 말이 나올 법도 하다.

긴긴 세월 소통과 공감으로 인간의 곁에서 큰 힘이 되어 주었던 그지없이 순수하고 맑은 어린아이의 눈매를 닮은 저 반려견처럼만 되고지고라고.

저 반려견만큼만 만나는 사람, 연인들, 이웃들, 벗님네들과 바람처럼 새털처럼 가볍고 의미 없는 교류와 소통이 아닌, 신의롭고 정겹고 따뜻함을 주고받으며 한결같이 훈훈한 관계가 이어지고 번져 나가길 소망해 본다.

끝으로 조시 빌링스의 "개는 당신이 당신을 사랑하는 것보다 더 당신을 사랑해 주는 유일한 존재다"라는 말을 들려 드린다.

무릉도원(武陵桃源)

복사꽃 뜬 맑은 물에
산 그림자조차 잠겼어라'*
온통 꽃그늘로 덮힌
한려수도 섬 자락에
퐁당 몸 담그고 싶어지는 저 곳

*"두류산 양단수를 에 듣고 이제보니
　도화 뜬 맑은 물에 산영조차 잠겼세라
　아희야 무릉이 어디뇨 나는 옝가하노라"(남명 조식)

[시작(詩作)노트]

《무릉도원 떠올리는 복사꽃》

우리들에게 복숭아는 맛이 그저 그만인 열매를 부르는 말이지만 복숭아꽃은 아무리해도 복사꽃이라 부를 때 더욱 제격인 듯하다.

중국이 원산지인 복숭아는 우리와의 인연도 유구한 만큼 금도(金挑), 백도(白桃), 화도(花桃), 수밀도(水蜜桃), 선과(仙果) 등 그 이름 또한 다양하다.

꽃잎이 여러 겹으로 중첩된 만첩백도와 만첩홍도는 꽃을 보기 위해 심는다. 아담한 키에 부챗살처럼 멋대로 벌어진 듯 촘촘한 가지, 소복소복 핀 연분홍 색 꽃잎이 봄바람에 흔들려 복사꽃비라도 내리는 것을 보면 옛 사람들이 그토록 입에 올렸던 무릉도원이나 별유천지(別有天地), 선경(仙境)을 이해할 것 같다.

복사꽃은 우리 조상들이 가장 좋아하던 꽃 중에 하나였다. 옛날 우리나라에서는 봄철이 되면 진달래, 개나리꽃과 함께 복사꽃, 살구꽃이 유명하였다.

복사꽃 핀 마을은 어디나 고향같이 느껴지는 것이 한국인의 정서이다. 복사꽃은 고향에 피어있는 꽃이며, 꽃그늘 아래에서 소꿉놀이 하던 어린 시절을 떠올리게 하는 꽃이다.

복숭아는 우리 조상들에게 중요한 음식 가운데 하나였으며, 서정적 정감을 불러일으키는 심미적 대상이었으며, 장생불로의 묘약이었으며, 귀신을 쫓는 신통력을 가진 나무이기도 하였다.

도연명이 '도화원기(桃花源記)'에서 무릉도원(武陵桃源)을 이상향으로 표현한 뒤로 많은 사람들이 복사꽃을 별천지의 꽃으로 노래했다. 송찬호 시인은 "옛말에 꽃 싸움에서는 이길 자 없다 했으니/ 그런 눈부신 꽃을 만나거든 먼저 피해 가라 했다"고 은유적으로 예찬하고 있다. 무리져 핀 연분홍색 복사꽃에 마음 흔들리지 않는게 이상한 것이 아닐까? 모든 꽃은 흔히 여인을 상징한다지만 특히 복사꽃은 맑고 아름다운 여성을 상징했다. 도색(桃色)이란 말은 원래 복사꽃 빛깔인 연분홍꽃을 가르켰으나 근래엔 이보다 여색(女色) 또는 남녀 사이의 정사에 관한 것을 의미하는 성격이 강하게 되었다.

도색 사진, 도색 영화 등의 말은 다 이러한 뜻을 담고 있는 것이다. 미인의 양 볼에 띤 색채를 일러 도화색에 비유하기도 한다. 복숭아 열매는 산모가 아기를 가지면 먹는 과일의 하나로 잉태의 상징이기도 했다. 먹기는 개량한 외래종이 좋으나 약효에는 토종의 복숭아가 더 좋다고 한다. 복숭아는 흔히 먹는 과일로 생각하지만 사실은 다목적 민간약이다.

복숭아씨를 비롯, 나뭇가지, 뿌리, 꽃잎에 이르기 까지 약으로 쓰이지 않는 것이 없다. 한방에서는 혈약으로 귀하게 다루어 왔고, 폐 계통 환자들에게는 말할 수 없이 좋은 보약이다. 중국의 4대 기서의 하나인 '서유기'를 보아도, 손오공이 하늘나라로 올라가서 천도를 따먹고 그 무서운 힘과 영원한 생명을 얻었다는 이야기가 나오고, 삼천년을 살았다는 동방삭도 천도를 세 개 먹고 그렇게 긴 수명을 얻었다고 하듯이 복숭아는 장수의 아이콘이기도 했다.

김수로 왕의 왕비가 된 인도 아유타국의 공주 허왕옥도 바다건너 올 때 복숭아와 대추를 가지고 왔다는 설도 있다. 여기서 복숭아와 대추는 자손 번창의 의미를 담고 있다. 조선시대 '안견'이 그린 '몽유도원도(夢遊桃源圖)'는 이름처럼 복사꽃이 만발한 땅을 풍요와 평화가 깃든 꿈과 이상향의 세계로 표현하고 있는 판타지적 요소가 다분한 작품이다.

복사꽃이 피고 진다. 봄비에 젖어 흩날리며 떨어지고 있다. 덧없이 흘러가버린 세월. 회한 어린 청춘의 한 자락, 어느 봄 날 떠나가버린 첫사랑의 연인 등 등 아스라한 추억을 되살아나게 하는 꽃이 지고 있다. 곱디고운 계절이 이렇게 또 흘러가고 있다. 꽃이 피어 있는 기간도 너무 짧다니 화무십일홍(花無十日紅)인가? 그러나 모든 것은 자연의 이치이니 꽃을 피게 한 비에 찬사를 보내고, 꽃을 지게 한 바람을 미워 할 일도 아닐지니 우리의 인간사도 이와 별 다를 게 있을까마는. 어느 시인이 읊은 "절절하게 그리워지는 꽃이라면 / 못 견디게 그리워서 지는 그늘이라면 / 서러워마라 / 세상 천지 꽃그늘만큼 환한 그늘이 / 또 있겠느냐" 는 시 한 구절과 예전엔 기녀의 이름에 '도(桃)' 자가 흔했는데 " 사랑을 팔고 사는 꽃바람 속에 / 나 혼자 지키려는 순정의 등불 / 홍도야 울지마라 오빠가 있다 / 아내의 나아갈 길을 너는 지켜라" 는 김영춘이 부른 '홍도야 울지마라' 한 곡조로 가는 세월을 위로해 본다.

기원

통영인의 뚝심같은
그대 돌벅수 미소가 흐르고 흘러
가슴 속에 번지고 번져
그 따뜻함이 물결처럼 적셔지길
만인이 그저 평안하시라

*벅수: 장승, 멍청이 · 바보의 방언

*필자가 근 40년간 소장하고 있는 한지 공예품 '벅수(장승)' 한 쌍.

[시작(詩作)노트]

장승의 기능은 성문을 지키고, 마을을 지키는 지킴이 장승 즉 '수호장승', 지역과 지역의 먼거리를 알려주는 이정표 역할의 '노표장승', 마을의 '경계 표시장승', 자식을 기원하는 '기자장승', 불법을 수호하는 '불법 수호장승' 등 다양하다. 명칭은 장생, 장생표, 국장생, 황장생, 법수, 법수장성, 벽수, 수막살이, 살막이, 천하대장군, 지하여장군 등 다양한 이름으로 불리었다.

호남과 서부경남 지역에서는 장승을 일러 '벅수'라고도 했다. 벅수는 경상도 사투리로 바보의 의미를 지닌다.

벅수의 발음이 토착화될 경우 '벅시'라기도 하고, '벅구'라 하기도 한다.

벅수는 화가난 듯 하기도 하고 웃는 것 같기도 하다. 그러면서도 의연하다. 소소한 일에 쉽게 흔들리거나 움직일 것 같지 않다. 우리 조상들이 간직해 온 속 깊은 모습이다. 왕방울 눈, 주먹코, 송곳니를 드러낸 입 등 험상궂은 표정 뒤에 숨쉬고 있는 더 온화하고 인정스럽고 익살스러운 마음씨, 아무리 위엄과 광기스러움을 보이려 해도 천진한 순박미를 숨길 수 없는 장승에는 우리 선조들의 마음과 숨결이 깊숙이 감추어져 있다. 그 모습은 이상하고 괴엄해서 선 뜻 가까이 할 수 없다. 그러나 한참 동안 바라보면 꼭 어느 누구의 모습을 닮아 있는 것같은 느낌을 받는다. 이들 천태만상의 차림새는 우리 민초의 얼굴 그대로가 아닐까? 한평생 노동에 찌들리면서도 그 웃음과 낙관적 세계관을 잃지 않는 민초들의 따스한 체온이 전해진다. 그러고 보면 장승은 태고이래 우리의 온갖 신앙이 한데 투영된 참으로 넉넉한 영매(靈媒)인 것이다.

그런즉 '통영돌벅수'는 그 외양만을 볼 바가 아니라 그보다는 한민족의 영원한 신표(信標)앞에서 그 간절하고 겸허했던 선인들의 마음을 되새길 일이다. 무섭고 괴기스럽고 우스꽝스럽기도 하고 여튼 조금은 익숙지 않은 모습이지만 마음 한번 바꾸어 오래된 우리 고유의 전통문화로 바라본다면 새로운 의미로써 '통영돌벅수'는 다가올 것이다. 그런 의미에서 나들이 길에 '통영돌벅수' 한번 뵙고 가시라 권하는 바이다. 그 옛날 고향마을 어귀에 들어설 때 느꼈던 가슴이 훈훈해오는 정겨움의 물결까지 보너스로 받아 가실 테니까.

《통영 돌벅수》

학익진 펼친 군선들에서 울리던/
독전의 힘찬 함성도 묻어두고./
비바람치고 눈보라 휩쓸고 간/
으르렁 거리던 역사의 소용돌이 속/
영욕 얼룩진 길목 묵묵히 딛고./
동네 어귀 지키고 선 너!

부릅뜬 왕방울 눈으로/낯선 침입자 막아주고/순박한 미소로는/
마을 사람들의 시름/다 들어주었
거니/뼈를 주고 살을 준/우리네
할배 할매 닮은 정겨움/풍상의
세월에/곰삭은 자화상/통영인의
뚝심만큼 넉넉타/무섭기도 하고/
우스꽝스럽기도 하고/벅수같기도 한/너!

나는 나를 잘 모르니/나는 벅수다/
너는 너를 잘 모르니/너도 벅수다/
우리 모두 벅수다/그러기에 우리 모두 벅수같이/사는거라고/
세상살이 그냥 그렇게 살다가는/ 것이라고/
한 말씀 쏟아내고 있는 너!

그대 미소가/흐르고 흘러서/
우리네 가슴 속에/번지고 번져서/
따뜻함이/통영 앞바다 물결처럼/
적셔지길./마주보는 모든 이들이/
평안한 모습이 되게하여 달라고/
서원 세우고 있는 너!

허 허 웃자! 세상은 그대와 더불어/ 함께 웃을지니

물텀벙이라고요?

아시라 물메기 팔지 시간 문제였고
일년 내내 세파에 시달린 지친 속
간 밤에 퍼마셨던 술독에 후루룩
소리내어 들이키는 국물 한 그릇
살랑살랑 세상이 환해지는 물렁 수류탄

[시작(詩作)노트]

《겨울 철 통영의 맛, 못생겨도 맛은 좋아 물메기 탕》

요즘 통영 정량동 동호항에 가면 겨울철 별미로 유명한 물메기를 배 위에서 말리고 있는 풍경이 심심찮게 눈에 뜨인다. 추운 겨울에 어획하는 물메기는 겨울 철 최고의 맛으로 등장한다. 통영사람들은 물메기를 그냥 '미기'라고도 부른다.

통영 여객선 터미널에서 제법 오래 배를 타고 들어가는 '추도' 섬 미기를 제일로 꼽는다. 이곳에서는 건조대에서 돌담에서 어느 집에서나 빨래와 같이 널기도 한다. 해풍과 햇볕에 나란히 나란히 일광욕 및 풍욕을 하며 흰뼈가 하얗게 말라가는 미기들을 볼 수 있다.

마을 전체가 결코 싫지 않은 미기 마르는 냄새로 꽉찬다. 그리하여 겉은 딱딱하고 속살은 꾸더꾸덕한 추도 물메기로 우뚝 서게 된다. 전라도 지방에서는 경조사에 홍어가 빠지면 안 되듯이 이 곳 통영에서도 한 때는 미기가 빠지면 뭔가 허전하였다고 한다. 추도는 최고의 수질을 자부하는 물이 펑펑 넘치도록 솟아 오르고, 그 물이 추도 주변 바다로 흘러 들어 근해의 고기 맛이 더 좋을 수 밖에 없다는 말도 결코 일리가 없는 것은 아닌 듯 하다. 아무리 가물어도 급수선이 들어온 적이 없다는 섬이니 말이다.

사랑도 섬 근해에서 잡히는 물메기 역시 통영을 대표하기는 마찬가지다. 물메기는 흐물흐물하다. 빈 부대자락 같다. 세우자 마자 주르륵 퍼질러 댄다. 고주망태가 된 술꾼 같기도하다. 함지 박에 담아 놓으면 끈끈한 죽같기도 하고, 고체같기도 하고 액체

같기도하다. 도대체 뼈가 있는지 알 수가 없다. 민물메기를 닮았다고 해서 물메기라 부른다. 우리나라 동서 남해안에서 두루 잡히며, 정식 이름은 꼼치이나 지방에 따라 곰치라고도 부르고 물곰이라고 부르고 물텀벙이라고도 하고 물잠뱅이라고도 한다.

물로 약간씩 형태는 다르지만서도. 물메기는 못생기기로 둘째 가라면 서러운데 예전에 어부들이 이 고기가 잡히면 쯧쯧 혀를 차며 다시 물에 던져 버렸는데 그 때 떨어지는 소리가 텀벙텀벙 한다고 해서 물텀벙이란 별칭도 얻게 되었다. 그러나 요즘은 대우가 전혀 달라져서 없어서 못 먹는 귀하신 몸으로 탈바꿈 했다.

그 물텀벙이 금탱이가 되어 몸값이 하늘을 찌른다. 정약전 (1758~1816)의 '자산어보'에도 '살이 매우 연하고 뼈가 무르다. 맛은 싱겁고 곧잘 술병을 고친다'고 적혀 있다. 물메기는 다른 어류 등도 그렇듯이 냉동보관을 하기보다는 잡자마자 바로 먹어야 제 맛이 난다.

물메기는 싱싱할 때는 물메기 회, 또는 메기불 회, 빠늣하세 말려서는 메기 찜으로 쓰인다. 꼼꼼하게 마른 메기는 손칼로 삐져서 긴긴 겨울 밤 간식으로 쓰면 그만인데, 초고추장만 있으면 술안주로도 딱이다 그러나 뭐니뭐니 해도 물메기 최고의 밋은 역시 물메기탕이 아닐까? 그것도 아침에 해장술 속풀이로 먹는 탕이 적격인 것을. 무와 대파를 쏭쏭 썰어 놓고 소금으로 살짝 간을 맞춰 끓여야 물메기의 진가가 발휘된다. 간밤에 퍼 마셨던 술독이 단숨에 손을 들고 스르르 무장해제 해 버린다는 그 국물 맛 말이다. 비린내가 없을 뿐 아니라 맑고 담백하고 시원하다. 후루룩! 소리내어 국 들이키 듯 먹는 맛이 쏠쏠하다. 그것은 흐물흐물 일명 '물렁폭탄'이라고 할 수 있다. 한 번 맛보면 첫 술부터 그릇을 다 비울 때까지 '아, 시원하다'는 감탄사가 끊이지 않는 다고 미식가들은 입을 모은다.

이번 주말엔 동호항 주변 인심 좋은 식당에 들러 꼭 물메기탕 한그릇 먹어보리라. 그것도 눈빛만 봐도 통하는 지기(知己)랑 함께 한다면 더 무얼 바라리오만... 벌써부터 입 맛이 다셔진다. 어젯밤 한잔 술에 아직도 머리가 지끈거리고 속이 뜨끔거리는 주당님들 이여! 오늘 아침 물메기탕 한 그릇 챙기시는 것 잊지 마시라. 덤으로 아스파라긴 성분이 다량 함유되어 있어 골다공증 예방에 좋고, 니아이신 성분이 세포 노화억제도 돕고, 기미 주근깨 제거 에도 도움이 되고, 단백질 함유량이 높고 지방질이 적어 다이어 트에도 좋고, 타우린 성분이 면역세포를 보호해주고, 눈의 피로 까지 풀어준다고 하니 꿩먹고 알먹고 아니겠는가.

노산 이은상이 극찬한 조선시대 서산 휴정이 읊은 '삼몽사(三夢詞)' 라는 시에서 '주인은 꿈 속에서 손님에게 얘기하고(주인몽설, 主 人夢說)/ 손님도 주인에게 얘기하네(객몽설주인, 客夢說主人)/ 지금 두 꿈을 얘기하는 이 사람도 (금설이몽객, 今說二夢客)/ 역시 꿈속에 사람인 것을(역시몽중인, 亦是夢中人). 이는 주인과 손님이 각각 자기 꿈 속에서 상대방을 마주하고 얘기하는데 두 사람이 꿈 속에서 얘기한다고 말하는 자신도 꿈 속의 사람이 라고 한다. 이렇듯 어쩜 한바탕 꿈 속에서 살아가는 우리네 인생 살이. 술 한 잔에 꿈같은 물메기탕 한 그릇으로 쉬어간들 어떠하리오!

통영바다

절망하고 슬피하는자 나를 보아라
넘어졌다 일어서고 일어섰다 넘어지는
일어서기 위해 넘어지고 넘어지기 위해
일어서는 끝없는 역전의 드라마
파란풍경 속 파란 그리움

*사진 속 섬은 연대도

[시작(詩作)노트]

성기혁 작가는 여행기록을 담은 '색채기행'에서 흑산도는 검정이고 봉평은 하양, 창녕은 초록이란 식으로 색과 지역을 연계시켜 갔는데 통영에 대해서는 몇달을 두고도 색깔을 규정하지 못해 곤란을 겪고 있었다. 초록빛 너머로 펼쳐지는 파란 바다의 원색의 꽃은 통영을 하나의 색으로 규정하기가 어려웠지만 결국은 통영의 색깔은 '파랑'이라는 결론을 내린다. 멀고 아득한 하늘과 바다, 그리고 통영사람들의 지성미가 '파랑'에 부합하다고 말한다. 통영은 계절을 불문하고 '파랑 그리움'의 색깔을 유지한다고 까지 말한다. 어느 시인의 말처럼 자다가도 벌떡 일어나 달려가고픈 그런 그리움의 빛깔 말이다. 그래서 통영 바다 빛깔은 역시 그리움이다.

사진에 보이는 섬은 연대도다. 신석기시대의 패총이 있고, 외적의 침입 때 봉화를 올렸던 봉수대가 있다는 섬, 한때 에코랜드라고 명성을 날렸던 곳이기도 하다. 필자가 이 섬의 풍광에 반해 근 10여년간 눌러 있었던 곳이다. 사정상 몇년 전에 철수를 하여 지금은 추억 속의 섬이 되었다. 그래도 항상 좋은 기억만 새록새록 떠오른다. 연대도를 떠나오며 지난 시간을 회고하며 <에코랜드 연대도 연가> 시집 한권 남기고 온게 그래도 보람이라면 보람이다.

<연대도煙臺島* 그 섬에 가고 싶다>

하늘 끝자락까지 맞 닿아/내려온 아득한 그 곳/한려수도 수려한 풍광 한바탕의 섬/떠나보낸 세월들이 안타까워 토해내는/영혼의 울음소리 해조음 가득한 섬./검푸른 바다위로 건너가는/마다 하얀 그리움 밤낮없이 쏟아내는 섬./일렁이는 물결 다독거려 잠재워

놓고/노을 드리울 때 쯤 바다는 온통 통곡이 되어/선홍빛 아픔 하나 안고 절창(絶唱)을 뿜어내는 섬./밤되면 보석처럼 빛나는 별들이/

잠든 수평선 너머로/이슬처럼 솟아오르는 섬./외적의 침입 알리려 봉화* 올리던 기상 가득한/섬중턱 산자락에 펼쳐진 산죽山竹 스치는 바람소리/

밤비 오는날 홀로 들어도/시리도록 아름답고/혼자 있을수록 외롭지 않은섬./고단한 육신이 찾아가/소리없이 울 수 있는 가슴 속 영혼의 쉼터/

삶의 무게가 느껴질수록/더욱 빛을 발하며 다가온다는 그 섬.

마지막 희망의 생태 섬 에코랜드 그 섬에서/나 오늘은 취나물 방풍나물 훑고 가던/한려수도 천년의 해풍되어 쉬고 싶다/달빛 교교한 날/

섬자락 빗겨도는 추억의 지겟길*도/걸어보고 싶다./아롱아롱 진주 가득한/몽돌해수욕장* 절벽위/뿌리내린 천년노송에 걸터 앉은/초생달 벗을 삼아 퍼렇게 밤을 밝히고도 싶다./

신석기시대 패총*가를 서성거려 보면/하늘이 처음 열리던 까마 득한 날/

태고적 그 신비 그 선조들 만나보려나./방파제 앞 좌대놓고 낚시줄 드리운채/무심삼매無心三昧한번 맛보고 싶다./해안가 산책로 주변 갯바위를 종일/철썩철썩 훑고 가는 저 파도 소리 뒤로 하고/바람의 언덕*에 자리잡은 명상바위* / 반석에 정좌한 채/

우주의 숨소리도 듣고 싶다./바다도 삼키고 사랑도 삼키려는/
이 끝없는 욕망의 잉걸불 잠시 내려놓고/무한의 자유 가득한
연대도 그 섬에서/무상無常의 마음자리 안을 향해 걷고 싶다/
저 넘어 세계를 보는 자만이 마음안에 담겨진/사랑도 본다고
하는 말 한 자락 부등켜 안고.

*연대도: 경남 통영시에 부속된 섬. 에코랜드 생태섬으로 유명.

*봉화 : 임진왜란 때 왜적의 침입을 알리려 연기를 피워 봉화를
올렸던 봉화대가 산정상에 있음. 여기서 연대도라는 명칭이 붙었
다함.

*추억의 지겟길 : 섬가운데 있는 산자락을 따라 옛날 지게지고
가던 길이 펼쳐짐.

*몽돌해수욕장 : 주먹만큼한 고만고만한 몽돌들이 보석처럼 널려
있는 해수욕장.

*신석기시대 패총 : 폐교된 초등학교 근처에 자리잡고 있음.

신석기 유물들이 출토됨.

*바람의 언덕 : 몽돌해수욕장 옆으로 펼쳐진 단애(斷崖)를 형성
하고 있는 언덕.

*명상바위 : 바람의 언덕에 자리한 가로·세로·높이 각1m 가량
의 평평한 반석. 명상하기에 안성맞춤(필자의 작명).

선인(仙人)

다성(茶聖) 육우 손길 담고
허왕후의 발길 따라
깊은 명상 흰 잠 털며
정갈하게 오셨구려
도솔천 천년의 미소 눈부시다

[시작(詩作)노트]

산청군 덕산면 보림선원이 자리잡고 있는 뒷산에 오르니 지천에 차나무가 들어서 있다. 예전같았으면 무척 귀하게 대접받았을 터인데 거의 방치되다시피 야생으로 자라고 있었다. 불과 얼마 전까지만 해도 녹차 신드롬이 한창 일때가 있었는데 아, 옛날이여! 요즘은 거의가 커피 일색으로 바뀐듯 하니 이 일을 어이할꼬. 물론 커피 그 자체를 폄하하는건 결코 아니지만, 오랜 역사를 지닌 우리의 전통차가 홀대받고 멀어져 가고 있다는데 아쉬움이 크다는 얘기다. 커피와

차(茶)의 조화를 한번쯤 생각해 볼 때이다. 여기서 말하는 차(茶)는 국화차, 대추차 등의 대용차가 아닌 참선 중 졸음을 이겨내지 못해 자신에게 화가 난 달마대사가 세상에서 가장 무거운 눈꺼풀을 잘라 던졌더니 그 자리에서 자랐다는 전설이 깃들어 있는, 오직 차나무에서 생성된 것을 말한다.

차나무 잎으로 만든 차는 크게 네 종류로 분류한다. 만드는 방법에 따라 불 발효차(녹차), 반 발효차(중국산 오룡차나 철관음, 청차 등), 완전 발효차(홍차), 후 발효차(보이차)로 나눈다. 또한 찻잎을 따는 시기에 따라 제조 과정에 따라. 색깔이나 모양이 천차만별이다.

차(茶)는 범어로 알가(閼伽, argha)라고 한다. 신에게 바치는 공물을 담는 그릇의 총칭으로 쓰였다가 뒤에 불전에 올리는 맑은 물을 가리키게 되었으며, 향기로운 차를 뜻하게 되었다. 차는 약리적으로 몸 속 노폐물과 독소 배출에 으뜸이다. 성인병 예방, 중금속 해독을 돕고 다이어트는 덤이다. 들뜬 기운을 가라앉히고 뇌파를 안정시키게 함은 최고의 덕목이다.

차는 차나무 잎 그 자체지만 차가 되는 순간 더이상 차나무 잎이 아닌 것이다. 차는 자연이 인간에게 제시하는 또 하나의 자연이다. 차는 자연의 지문이며 신의 흔적이라 말할 수 있다. 그래서 차를 맛보는 것은 우주를 맛보는 것이라 해도 과언은 아닐 듯 하다.

차는 차나무 잎 한 가지로만 만든다. 그런데도 맛 향기 색깔 기운이 일반적인 음식과 비교해 조금도 모자람이 없다. 하나이면서 모든 것이라는점, 이것이 차의 미학적 근원이다.

'하나에 모두가 있고 많은데 하나 있어, 하나가 곧 모두이고 모두가 곧 하나이니, 한 작은 티끌 속에 세계를 머금었고 낱낱의 티끌마다 세계가 다 들었네.' 신라 의상대사의 법성게의 한 구절이 떠 오른다.

'다여군자 성무사(茶如君子 性無邪)', 즉 차는 군자와 같아서 그 성정(性情)에 삿됨이 없다고 하였다. 그 사람을 알려면 그 사람이 주로 먹는 음식을 보라고 한다. 그 음식에 내포된 성정과 기운이 그 사람을 형성한다는 뜻이다. 차와 마수한나는 것은 마음과 마주한다는 것, 차는 마음의 때와 얼룩을 씻어내는 정화수이며, 침묵의 노래 곧 명상의 길 안내자이다. 추사가 초의선사에게 써보낸 '명선(茗禪)'이라는 작품은 차와 선(禪)이 한 맛으로 통한다는 것을 강조하고 있다. 그래서 차는 몸으로 마시는 것이 아니라 가슴으로 마시는 것이라고 하는지도 모른다.

예로부터 우리 선조들이 차를 얼마나 즐겨 마셨으면 밥과 동일시하여 다반사(茶飯事)란 말이 생겼을까? 차와 곡식이 얼마나 귀했고 이들의 보관이 얼마나 중요했으면 차곡차곡(茶穀茶穀)이란 말도 그렇고, 차를 보관하는 조그만 방이란 의미의 용어 다락방도 그렇다. 또한 차를 마시면서 얼마나 예의를 중시했으면 차례차례(茶禮茶禮)라는 말까지. 차는 이렇게 우리생활 속에 우리와 함께 숨쉬고 있는 것이다.

님들이시여 부디 차를 가까이 하시라! 그리하면 님의 육신과 영혼의 수승(殊勝)함을 얻게되리니.

《차를 마신다는 것》

/최진태

한송이 차꽃에서
한 잔의 차 맛까지
수억년의 세월감아 되돌아온
광대무변한 우주의,
허공 속 소식이요

춤사위 몸짓 한 자락

외모지상주의

정상과 비정상, 장애와 비장애
결점과 비결점의 차이는?
그 모두를 아우른 열정의 삶
진하디 진한 향기로 넉넉한
영혼 속에 피어난 천년의 미소

[시작(詩作)노트]

우리의 외모는 가슴에서 벌어지는 깊숙한 삶에 대해 그다지 많은 것을 말해주지 않는다는 점을 주목할 필요가 있다. 우리는 흔히 밖으로 드러나는 모습, 즉 외형에 지나치게 집착해 때로는 우리의 정체성 전부를 거기에서 찾으려고도 한다.

'영혼의 그릇'이라고 하는 우리의 육체는 단순한 육체 이상의 훨씬 더 큰 의미가 있음을 깨달아 내면의 아름다움과 빛을 되찾는 법을 생각해 보았으면 좋겠다.

모양이 울퉁불퉁하여 흔히들 못생겼다 하는,

그러나 누구보다 열정적 삶을 살고 견뎌온 모과의 일생을 생각해 본다. 모든 결점과 장애와 비정상을 극복하고 우뚝서서 샛노란 빛으로 진한 향기를 품어내고있다. 보는게 전부가 아님을 말하고 있다. 거기다 상처까지도 미소로 승화시킨 모습을 보며 쓴 디카시다.

모과에 대한 단상을 몇자 더 적어보기로 한다.

《놀부가 탐낸 화초장 만들던 모과나무》

이파리 모두 떨군 앙상한 가지에 매달린 황금색 모과는 갈무리한 들판의 휑한 정경과 어울려 다가오는 새로운 계절의 변화를 실감나게 해준다. 모과는 나무에 달린 과일의 생김새와 색깔이 참외와 비슷하다 하여 나무(木)에 달린 참외(瓜)라 하였다. 처음에는 목과(木瓜)라 했는데 후에 변해서 모과로 되었다. 한자어로 화류목(樺榴木), 화리목(花梨木)이라 하기도 한다.
우리 속담에 '어물전 망신은 꼴뚜기가 시키고, 과일전 망신은 모과가 시킨다.' 하여 못생긴 모양을 풍자했다. 그러나 진정 모과는 생긴 모양이 멋대로 여서 볼수록 낭만적이다. 일정한 격식과 차림새가 없어 소탈하고 자유롭게 느껴지는 그래서 오히려 자연스러움이 배어 있는 과일이다. 꾸밈이 없는 진솔한 모습으로 다가온다. 그래서 모과를 보면 편안해지나 보다. 걸림 없이 삶을 살아가는 자유인을 연상시키는 모과는 그런 과일이다.

예전에 우리 할머니들은 손주들을 무릎에 앉히고는 '울퉁불퉁 모게야, 아뭇다나 굵어라.' 하고 노래를 하시며 아기의 건강만을 바라며 손주를 귀여워하셨다. 유아 사망률이 높던 그때는 우선 잘 생기고 못 생기고는 차치하고 '건강하게만 무럭무럭 잘 자라 다오' 라는 염원을 담아 부르던 노래였다.

봄이 되어 모과나무의 혈관으로 꽃봉오리가 도르르 펼쳐지면 다섯 장의 꽃잎이 수줍은 얼굴을 내민다. 모과나무라는 선입견과 어울리지 않는 곱디고운 다섯 장의 꽃잎은 수줍은 새색시의 두 볼처럼 붉다. 잡티하나 없이 곱다. 그러나 아쉽도록 짧게 피었다가 한 순간에 져 버린다.

모과는 장미과에 속하는 낙엽성 활엽교목이다. 다 자라면 키는 10m까지 이른다. 못생긴 모과가 아름다운 장미과라니 의심이 들지만 모과나무 꽃을 한 번 보고 나면 금세 이해 할 수 있다. 모과나무를 보고 다섯 번 놀란다고 하는데 과일의 생김새, 향기, 과일 맛, 봄에 피는 꽃, 한약재로의 쓰임새 때문이다. 목재는 재질이 치밀하고 무늬가 곱고 광택이 있어 가구재 공예품 등에 쓰인다.

구례 화엄사 구충암에는 오래된 모과나무가 다듬어지지 않은 채 기둥 형태로 받치고 있다. 자연 그대로의 정겨운 모습이다. 근육

질의 나뭇결과 옹이까지 그대로 드러나 있다. 자연과 인간의 합일이라는 고상한 수식어가 어울릴 듯하다.

흥부와 놀부전에는 제비가 물어준 박을 타서 부자가 된 흥부 집에 '화초장'이라는 고급 가구가 등장한다. 놀부가 '화초장 화초장'을 반복하다가 개울을 건너면서 이름을 잊어버리는 코믹한 장면이 나오는데 이 화초장의 목재가 바로 모과나무다.

《 모과나무 / 최진태 》

"못생겨서 미안 하오만 /예쁜 꽃을 감춘 미인 /과실 맛에 실망 하다 / 향기 좋아 놀라는군 /약리 성분 목재 재질은 /허허 실실 단단 내공 //미끈 용모 날씬 체형에 /목숨 걸고 열광 할 때 / 묵언 정진 내실 다져 /올곧게 뻗은 기상 /보이는 게 전부 아님을 / 온 몸으로 나투다"

역대 최고의 글씨를 꼽으려면 망설임 없이 중국의 왕희지를 택하겠지만 모과나무와 가장 관계가 깊은 사람을 꼽으라 해도 역시 그일 것이다. 왕희지는 모과나무 주 생산지인 난정(蘭亭)에서 활동했기 때문이다. 모과는 기침과 천식에 좋으며 신경통 등에도 효과가 있다고 한다. 사포닌 비타민 사과산 구연산이 풍부하여 모과차와 모과주로도 애용되고 있다.

첫서리를 맞고 뼈만 앙상한 나뭇가지에 외롭게 매달린 모과를 몇 개 따다가 승용차 뒤나 서재에 놓아두면 두고두고 그윽한 향기에 취할 수 있는 것도 소소한 행복이다. 찬바람에 온 몸이 웅크려 들 때 모과차 한 잔 모과주 한 순배로 활력을 되찾아 무엇보다 귀하고 소중한 자신의 존재적 가치를 되새길 수 있다면 이 역시 모과나무가 주는 특별한 선물이 될 것이다.

내 이름은?

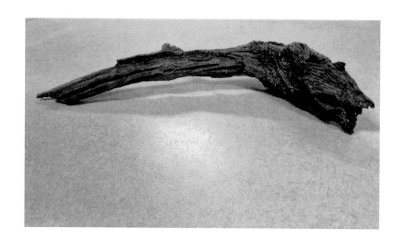

피가 되고 살이 되고 노래가 되고
시가 되고 이야기가 되고 안주가
되기도, 블떼기 살맛 한번 죽인다는
어두일미의 킹, 드물게 암컷보다
수컷을 더 쳐준다니 오매 기 살어

"피가 되고 살이 되고/노래 되고 시가 되고/이야기 되고 안주되고."가수 강산에의 노래 '명태'는 이렇게 시작된다.

양명문 시에 변훈 작곡. 성악가 오현경이 부른 가곡 '명태'도 시가 되고 안주가 되었음은 물론이다.

"검푸른 바다 바다 밑에서/

줄지어 떼지어 찬물을 호흡하고/

길이나 대구리가 클대로 컸을 때/

내 사랑하는 짝들과 노상/

꼬리치며 춤추며 밀려 다니다가/

어떤 어진 어부의 그물에 걸리어/

살기 좋다는 원산 구경이나 한 후/

에집트의 왕처럼 미이라가 됐을 때/

어떤 외롭고 가난한 시인이/

밤늦게 시를 쓰다가 쇠주를 마실 때/ 카~/그의 시가 되어도 좋다/그의 안주가 되어도 좋다/짝짝 찢어지어 내 몸은 없어질지라도/

내 이름만 남아 있으리라 허허허/

명태 허허허 명태라고 음 허허허허/ 쯔쯔쯔/이 세상에 남아
있으리 라"고 했다.

내장은 창란젓, 알은 명란젓, 아가미로 만든 아가미젓,

눈알은 구워서 술안주하고, 괴기는 국을 끓여먹고, 어느 하나
버릴게 없는 명태는 한국에서 과거에 워낙 많이 잡혔고 많이 먹는
생선이라, 다른 국가에서도 명태를 부르는 어원에 많은 영향을
주었다.

일본에서도 명태(明太)는 한자를 그대로 써서 '멘타이(めんたい)'로
읽고, '명란젓'은 '멘타이코(明太子)'라고 읽는다. 그리고 중국의
동북 지방에서는 조선족의 영향으로 밍타이위(명태어, 明太鱼)라는
말도 쓰이며 대만에서도 명태(明太)라는 단어가 그대로 쓰인다.
또한, 러시아에서도 명태를 '민타이(минтай)'로 읽는데, 한국어가
중국 동북 지방을 거쳐서 전해졌을 확률이 매우 높다.

한국어 이름이 있는 생선 중 유일하게 별명이 수십 가지나 되고
각각의 조리법에 전부 다 이름이 따로 있는 생선이 명태인데,
다른 이름들은

북어 동태 황태 노가리 명란젓 기타

먹을거리로 친숙한 물고기로, 지역이나 조리 방식에 따라 호칭이
다양하다. 명태의 각종 이름을 모두 따져보면 50개가 넘는다고
한다. 한국의 물고기 가운데 가장 호칭이 많은 물고기라 할 수

있다.

생태: 말리지도 않고 얼리지도 않은 것. 즉 어떤 가공과정도 거치지 않은 생물 상태를 일컫는다.

북어: 꺼내 말린 것.

코다리: 반쯤 말린 것. 보통 양념을 곁들여 요리해 먹는다. 전문점도 있다. 코다리 냉면이란 것도 있는데 비빔냉면에 양념된 코다리를 올린 음식이다. 생각보다 맛있다.

동태: 겨울에 잡아서 얼린 것.

황태: 잡아서 얼리고 말리는 것을 반복해서 3개월 이상 눈과 바람을 맞으면서 자연스럽게 건조한 것. 황태를 만드는 곳을 덕장이라 부른다. 한국의 덕장은 모두 동해안에 위치하며 용대리 덕장이 가장 유명하다. 본래는 함경남도 원산시 지역이 덕장 중심지였는데 분단 이후 이곳에 덕장들을 만든 것이다. 그래서 강원도 인제군의 원통리를 넘어가면 죄다 황태집이다.

그밖에도 낙태(落太),

노가리: 어린 놈을 말린 것. 이야기를 잘 하거나 거짓말을 자주 쓰는 사람더러 "노가리 깐다"고 표현하는 동남 방언이 있는데, 이는 명태가 낳는 알의 개수가 어마어마한 데서 기인한다.

파태, 흑태(=먹태), 무두태, 짝태, 깡태, 백태, 골태, 봉태, 애태, 왜태, 꺽태, 난태, 낚시태: 낚시로 잡은 명태. 값이 조금 더 비싸다.

망태, 막물태,

일태, 이태, 삼태... 십이태,

추태, 춘태, 원양태: 넓고 큰 바다에서 잡은 명태 등 참으로 이름이 많다.

옛 책에도 "여염집과 가난한 사람들까지도 마른 고기를 제사에 쓸 정도로 흔하고도 쓸모 있는 물건이다."라고 기록되었을 만큼 명태는 우리 민족과 친숙한 물고기, 즉 국민 생선인 것이다.

명태가 피가 되고 살이 되고, 노래가 되고 시가 되고, 이야기가 되고 안주가 되는 시절이 왔다가 지나가고 있다. 더 늦기 전에 오늘 대구탕 한그릇 하실래요?

내 누이여

웃는 걸까 우는 걸까
웃고 있어도 울고 있네
울고 있어도 웃고 있네
아, 벌써 지다니
별아 내 가슴에

[시작(詩作)노트]

얼마전 이태원에서 애꿎은 목숨들이 또 속절없이 세상을 등지는 비통한 일이 일어났다.

삼가 고인들의 명복을 빈다.

그 곳에서는 부디 평화로운 휴식 취하시길 기원드리며 하얀 국화 한송이 바치옵니다. 부디 편히 잠드소서.

※<고담(古談)한 선비의 모습, 국화>

초겨울에 접어들었는데도 예전보다 푸근한 날씨다. 그래서인지 온갖 맵시와 화사함을 자랑하던 뭇꽃들이 자취를 감추고 있을 즈음인데도 산과 들에 나가보면 아직도 하늘거리는 꽃봉오리들을 만나게 되는데 이 꽃이 바로 들국화이다.

국화는 국화과에 속하는 다년생 초본식물이다.

늦가을에 피어 추위와 서리를 이겨내므로 은둔하는 선비로 비유되어 지조, 절개, 정조 그리고 길조를 상징하기도 했다.

그 강인함과 고매함을 '오상고절(傲霜孤節)'이라 하며 문인들과 양반들의 절대적인 사랑을 받았다. 지금은 재배기술의 발달로 일 년 중 언제라도 국화를 볼 수 있지만, 봄여름 가을 온갖 꽃들이 다투어 피어도 묵묵히 참고만 있다가 다른 꽃들이 모두 시든 다음, 맨 마지막에 홀로 고고히 피는 국화는 세속에 잡된 것을 멀리하는 군자에 비유되었다. 또한 그윽한 향기와 더불어 약효가 뛰어나 불로장생의 신령한 초본으로 널리 알려졌다.

따라서 우리나라에서는 고려청자에 이미 국화문양이 등장하고 있다. 한옥의 여닫이 창문의 손잡이 부근에도 국화의 꽃이나 잎으로 장식했다.

국화는 원예학 상으로 지구상의 식물 가운데 가장 진화된, 영리한 식물 중의 하나로 여겨진다.

국화 전시장의 원예 종들은 더할 수 없이 기묘하고 화려하다.

그러나 왠지 모르게 약간은 부자연스럽다는 인상은 떨치기 어렵다. 들과 산에는 수많은 들국화가 피어난다. 들국화란 한 품종을 지칭하는 것이 아니라 국화과의 여러 꽃들을 총칭하는 말이다.

그 대표적인 것으로 감국, 산국, 구절초, 쑥부쟁이, 참취, 해국, 개망초, 울릉국화 등을 들 수 있다.

동전 크기보다 작은 감국, 산국은 앙증스럽기까지 하다.

아홉 번 죽었다 아홉 번 피어나도 첫 모습 그대로 피어난다는 구절초는 들국화 가운데 가장 꽃이 크고 화려하다. 쑥부쟁이는 꽃이 연보라색인데 여름부터 가을까지 무리지어 피어난다.

참취는 봄에 나물로 먹는 바로 그것인데 작고 하얀 꽃이 아름답다.

국화는 원산지인 중국에서 프랑스를 거쳐 미국으로 건너갔고 현재까지 세계 절화 생산량 1위로 수천종 이상의 품종 수를 가진 꽃이 되었다. 국화는 고전적이면서도 현대적인 세련미를 유감없이 보여주는 꽃이다. 세련, 섬세, 화려, 우아, 고결의 미를 두루 갖추고 있으면서도 속으로는 겸양의 미덕을 간직해 야단스럽지 않다. 이제 국화는 전 세계적인 꽃이 되어 군자의 마음을 전 세계에 전하고 있다. 일본의 국기인 욱일기(旭日旗)에는 일출의 모양을 그린 것이 아니라 둥그런 꽃술 다발 주위에 열여섯장의 꽃잎을 가진 국화를 그리고 있다.

서양에서는 평화. 풍요. 부. 거룩한 아름다움을 상징한다.

국화를 장례식 때 사용하는 이유는 망자에 대한 평화로운 휴식을 기원하는데 에서 연유한다.

날은 어두워지고 본격적인 겨울로 접어들고 있다. 그럴수록 아직도 더욱 짙어지는 들국화의 향기는 멀리 있어도 더욱 그리워 지는 사람의 향기를 생각케 한다.

따끈한 국화차 한 잔, 국화주 향기 속에 떠오르는 누군가는 바냥 아련하기만 하다.

떠나보내는 자의 애상일까? 우리의 삶도 스치고 떠나는 이들의 향기를 닮아가기를 기원해 본다.

야생 들국화의 성정 닮은 쩡쩡한 목소리 울리며 굽힐 줄 모르는 올곧은 성품과 지조와 결기 가득 넘치는 문인지사, 정객들이 유난히도 더 기다려지는 세월의 한 모퉁이에 서 있음을 실감한다.

중국의 도연명은 '음주(飲酒)' 라는 시에서 '채국동리하 유연견남산

(彩菊東籬下 悠然見南山)'이라고 읊고 있다.

《 산국(山菊) / 최진태 》

'동녘 울타리 밑에 국화꽃을 따든 채 남산을 조용히 바라본다'
란 뜻이다. 고담(古談)한 선비의 모습이 오늘따라 더욱 그립다.

"내 목숨 다하는 그 날/그럴듯한/ 몇 줄의 시가 남아 있다면/
그것으로/ 족하지 않을까 싶은/ 시가 술술 써질 듯한/찬 서리
내린 날/ 해풍에 떠밀려 올라선/ 연대섬 언덕엔/산 속의 무리가
떼 지어서/행을 바꿔가며/ 황금빛 연작시를/줄줄이 풀어 쓰고
있다 "

배 띄워라

매운향 가득 뼈속까지 시리네
사는게 수행 그 자체
날 시퍼런 은장도 하나 가슴에 품다
오, 반야용선 아희야 노저어라
풍악도 울려, 오늘 만큼은

*반야용선(般若龍船):중생을 태워 피안의 세계로 인도하는 배

[시작(詩作)노트]

매화꽃 봉우리 속에 희망의 싹이

바닷가 근처 산자락에 촘촘히 들어서 있는 매화나무 가지에서 백매화(白梅花)가 봄을 손짓하며 겨울을 밀어내는 몸짓으로 톡톡 피어오른다. 전기무쇠 화로가 어울리는 산방 풍경 속에서 세상을 마시듯이 생애에 징검징검 떨군 그리움을 마시듯이 뜨거운 녹차 한잔 후후 불며 마신다.

매화 한 송이 꺾어 다화(茶花) 화병에 꽂아두며 운치를 더한다.

아직도 봄은 저만큼에서 느림보 걸음으로 닥아오고 있는데 이미 이곳 산방 주변은 매화의 두런거림으로 겨울잠을 떨치고 봄맞이를 준비하고 있다. 마치 새해 일출을 보기위해 새벽잠 설치며 칼바람 눈보라 몰아치는 정동진 바닷가에서 손 발 비벼가며 동트는 새벽을 응시하고 있는 모습이다.

산방이 위치한 천대리 마을은 이곳 바닷가 주변에서는 제일 먼저 매화의 군무(群舞)가 시작된다는 곳이다.

얼마 뒤는 백색의 물결이 산기슭 매실 밭을 훌쩍 뒤덮고 있으리라. 군데군데 홍매(紅梅)도 모습을 드러낸다. 특히 산방 마당에 있는 수양홍매도 몇 안 되는 매화송이를 틔우고 있다.

산기슭 매실 밭보다는 산방 안에서 좀 더 일찍 매화를 보기위해 가장 일찍 핀다는 '동지매'하며 산청의 '남명매'의 후손들과 우리 나라에서 가장 오래된 산청 '정당매'의 후손을 그리고 '설중홍매'를 식목일날을 전후하여 통영 산림조합 묘목시장에서 구입하여 작년에 심어 보았다.

나무와 꽃을 가꾼다는 것은 인내를 배우는 것이라고 한다.

참고 기다림의 철학을 익히는 작업이다.

"세월부대인歲月不待人" 이라는 말처럼 세월은 사람을 기다리지 않을 수도 있겠지만 초목들의 성장과 쇄락, 피고 지고를 통해 사계절 순환의 수레바퀴는 부단히 멈추지 않으리라.

매화나무는 장미과의 낙엽소교목으로 매실나무라고도 한다.

꽃을 매화(梅花)라고 하며 열매를 매실(梅實) 이라고 한다.

매화의 고자(古字) 는 모(某)인데 매(梅)의 본자이다.

매(梅)는 어머니(母)가 되는 것을 알리는 나무(木)라는 뜻에서 유래된 것이라고 한다. 즉 임신을 한 여자들은 신맛이 있는 과일을 찾게 되는데 매실(梅實)은 신맛이 강해서 여자들이 매실을 찾으면 임신한 것이므로 매실열매가 출산의 전조(前兆)를 나타내는 것이라는데서 유래되었다고 본다. 매화는 온갖 꽃이 미처 피기도 전에 맨 먼저 피어나서 봄소식을 가장 먼저 알려준다.

이른 봄 맨 먼저 꽃을 피운다하여 '꽃의 맏형 화형(花兄)', 꽃의 우두머리 화괴(花魁)라 부르기도 한다. 매화나무에는 많은 종류가 있는데 동지 전에 피거나 열매가 일찍 맺는 것을 조매(早梅)라 한다.

봄이 오기전 눈이 내릴 때 핀다고 하여 설중매(雪中梅)라고 하고, 한매(寒梅) 또는 동매(冬梅)라고 부르기도 한다. 또 그 가지가 구부러지고 푸른 이끼가 끼고 비늘 같은 껍질이 생겨 파리하게 보이는 것을 고매(古梅)라 하여 귀중하게 여겼다.

매화는 부르는 이름이 많다. 꽃봉오리가 풍성하고 잎이 층을 이루면 중엽매화라 하고, 가지와 줄기가 녹색이면 녹엽매라 한다. 원앙매는 한 꼭지에 두개의 열매가 열리는 것을 말하고, 둥글고 작은 열매가 열리며 소매(消梅)라고 하였다.

매화는 서리와 눈을 두려워하지 않고 언 땅위에 청아한 꽃을 피워 그윽한 향기를 뿜어낸다.

매화는 온갖 꽃이 미처 피기도 전에 맨 먼저 피어나서 봄소식을 가장먼저 알려주는 꽃이다. 매화는 창연한 고전미가 있고 더없이 고결하여 가장 동양적인 인상을 주는 꽃으로 정평이 나있다.

매화는 중국에서 우리나라에 도래한 이래 오랜 기간 거치면서 우리민족에게 가장 많은 사랑을 받아왔던 식물중의 하나이다. 그 꽃은 비록 외래종이긴 하지만 이미 오랜 옛날에 우리의 고유 식물처럼 되어버린 것이다.

사랑받는 만큼이나 이름 또한 많나보다. 일지춘(一枝春), 은일사(隱逸士), 청객(淸客), 목모(木母), 빙기옥골氷肌玉骨(살결이 고운 미인)등으로 부르기도 한다.

모두가 그 맑고 깨끗한 품성을 기려 이르는 말이다.

매화는 만물이 추위에 떨고 있을 때 봄의 문턱에서 꽃을 피움으로써 사람들에게 삶의 의욕과 희망을 가져다주며 힘찬 생명력을 재생시키는 기대를 가지게 해 준다.

특히 겨울동안 마치 죽은 용의 형상과 같은 고목에서 꽃이 피어나는 것은 지치고 쇠약해진 늙은 몸에서 정력이 되살아나는 회춘(回春)을 상징하기도 한다.

그래서 새해 소망을 기원하는 연하장에는 이 매화가 어김없이 등장하나 보다.

매화는 힘든 세파 속에서 희망의 싹을, 마음의 봄을 제일 먼저 알려주는 꽃이기도 하다. 사람들에게 사랑의 체온과 향기를 불어 넣어 주는 꽃이다.

우리가 산다는 건 희망을 향해 걸어가는 길, 그 길이 비록 험난해도 우리는 극복할 수 있는 의지를 갖고 있다. 독일의 어느 철학자는 인간을 "살려고 하는 의지의 농불"이라고 일컬었나시.

그러나 이러한 의지와 극복의 힘을 갖고 있어도 희망을 잃어버리면 그 모든 것이 물거품이 된다는 사실을 너무도 잘 알고 있기에 희망의 싹, 희망의 봄을 알려주는 매화는 더욱 경외스럽게 비쳐지나 보다.

추일(秋日) 서정

젊은 날 떫고 비리던 내 피 닮은
저 붉덩이 한 알 까치밥
달 항아리 속에 핀
조선의 얼
아, 눈이 시리다

[시작(詩作)노트[

빈 창공에 인정의 붉은 점 하나 찍어 놓은 까치밥 한 알 남겨둘 줄 알았던 조선의 마음.

생명을 가진 작은 벌레와 새 한 마리까지 사람을 넘어 함께 나누고 베풀줄 알다니 훈훈하고 곱기만 하다. 달항아리 여백 닮은 여유 잃지 않았도다.

그 여백은 자신의 마음을 비움으로써 영원을 맞아들이기 위한 대문일지도 모른다. 이렇듯 풀 한포기 나무 한그루 조차 인간과 함께 모두 생명순환의 그물로 얽혀있다는 인드라망의 이치를 우리 선조들은 일찌기 깨달았던 것일까? 아니면 석과불식(碩果不食), 큰 열매는 먹지않고 남겨둔다는 주역에서 도래했다는 이 말 그대로의 가르침을 어쩜 삶에서 부터 알게 모르게 실천하고 있었던 건 아니었을까?

까치밥 몇 알 걸려있는 감나무 가지 사이로 비치는 만추의 푸른 하늘 우러르면 오늘따라 눈은 물론 마음까지 더욱 시려온다.

《정감어린 기억 속의 감나무》

'감나무는 영혼의 나무, 겨울로 가는 길목에 문이 되어 섰다. 깊은 곳에서 허심으로 하늘을 받들고, 지상 비치고 하늘을 또 빛낸다'고 이 성선 시인은 말하고 있다. 한국인에게 감나무만큼 친숙한 나무가 또 있을까? 남쪽 어느 마을을 가더라도 감나무를 만날 수 있다. 특히 오래된 세대는 감나무에 대한 아련한 향수 또는 추억 한 두 개쯤은 품고 살아간다고 볼 수 있다. 좋은 기억은 시간을 천천히 흘러가게 만드는 마력이 있다. 감나무에 대한 기억이 그것이다. 그 시절 인연의 향기가 되살아나기 때문이다. 계절의 변화조차 감사하게 느껴지게 되는 이유다.

가을이면 감나무는 세상에서 가장 고운 붉은 빛을 가져다가 제 몸을 단장한다. 그리하여 잎과 속살을 찌울 열매에 감빛으로 분칠을 하고 수줍음 타는 새색시 마냥 쪽빛 하늘과 짝지어 있다. 그 어느 화공도 담아낼 수 없는 솜씨로 가을 풍경을 담아내고 있는 것이다. 감나무는 고향에 대한 향수를 불러일으키기에 충분하다.

'홍시가 열리면 엄마가 생각난다'는 노래에서 느끼듯 감나무는 붉은 홍시처럼 깊고 진한 어머니의 사랑을 회상하게도 한다. 잘 익은 감을 바라보며 '색승금옥의 감분옥액청(色勝金玉衣 甘分玉液淸)' 즉 감나무의 색은 금빛 나는 옥보다도 더 아름답고 그 맛은 맑은 옥액에 단 맛을 더한 듯 하다고 했으니 과일에게 주는 찬사에 이보다 더한 것이 있을까?

또 감나무의 학명은 디오스피로스(Diospyros)인데 여기서 디오스란 신이란 뜻이고 피로스는 곡물이란 뜻이니, 서양에서도 과일의 신이라 칭할 만큼 훌륭히 여겼나 보다. 감나무 종류에는 크게 감나무와 고욤나무가 있다. 감나무의 한 품종인 단감은 추위에 약해서 남부지방에서만 재배된다. 고욤나무는 작은 새 알만한 크기로 먹을 육질이 별로 없고 씨만 잔뜩 들어 있어서 식용으로는 잘 쓰지 않는다. 그러나 감나무 접붙이는 밑나무로 고욤을 쓴다. 우리 속담에 '고욤 일흔이 감하나 보다 못하다'라는 말이 있다. 자질구레한 것이 아무리 많아도 큰 것 하나를 못 당한다는 의미이다.

감은 한자로는 시(柿)다. 일찍이 우리 조상들은 조율이시(棗栗梨柿)라 하여 대추, 밤, 배와 같이 감을 제사상에 빠뜨리면 안 되는 과일로 꼽았다. 특히 고욤나무에 접을 붙여야만 감이 달리듯, 살을 찢는 고통을 감내하고 인고의 노력을 통하여 학문을 연마해야 사람다운 사람이 된다는 교훈으로 삼고자 제사상에 올렸다는 설도 있다.

감이 열리는 나무의 속이 검은 것은 자식을 위해 속이 타는 부모의 마음이라 하기도 한다. 주홍의 열매가 달린 잔가지는 툭툭 잘 부러지지만 감나무 몸통의 재질은 매우 단단하여 목재로서도 유용했다. 특히 검은 무늬가 들어간 것은 먹감나무라 하여 최고의 가구재로 쓰였다. 예전엔 골프채의 나무 헤드에 유용하게 이용되었다. 약한 것 같지만 또 한없이 강하기도 한 것이 영락없이 우리네 민초들의 삶을 닮았다.

《 먹감나무 / 최진태 》

"고향집 고택 뒤 뜰을/코흘리개 때부터 지켜온/먹감나무 한 그루/ 올핸 더욱 알알이/열매 매달았구나/홍시로 익은 세월/ 나의 아버지/ 아버지의 아버지/아버지의 아버지의 아버지 때부터 였을까/구곡간장 시커멓게 타들어간/세월 뒤로 하고/ 저렇게 결 고운 먹빛 속 살결 / 간직하고 있었구나 //겉 번지르한 치장에/ 눈 멀고 귀 먼 세상의 잣대/ 허위와 기만이 빛나는/길 아닌 길 위에서/오늘 비로소 알았네/저토록 먹빛 깊은 색으로/안으로 안으로만 다져갔던/속 깊은 나무 였음을"

옛 사람들은 감나무 잎이 종이가 된다하여 문(文)이 있고, 나무가 단단하여 화살촉으로 쓸 수 있으니 무(武)가 있으며, 겉과 속이 모두 똑같이 표리부동 하지 않아(忠)이 있고 , 노인이 치아가 없어도 먹을 수 있는 과일이므로 효(孝)가 있고 늦가을까지 남아 달려 있으므로 절(節)이 있다고 하여 감나무의 오상(五常)이라 부르기도 하였다.

가을부터 겨울까지 즐겨먹는 감은 맛도 좋지만 비타민 A. C등의 영양분도 풍부하여 노화방지, 피로 회복, 배탈이나 설사를 멎게 하는 효과도 있다. 감잎 역시 성인병 예방을 위해 감잎차로도 많이 애용되고 있다. 감물을 들여 만드는 갈 옷이나 이불 등도 일상생활에 유용하게 쓰인다.

단풍든 감나무를 활활 타오르는 화신(火神)이라 표현했던 감 나뭇가지 사이로 스민 노을빛이 서러울 만큼 눈부시다. 조롱 조롱 달린 감에 담긴 추억들이 한 가득 안겨오는 하릴없이 아름다운 계절이다. 생각이 깊어질수록 포근한 느낌이 넘쳐나는 참 아름다운 우리의 나무, 정감어린 기억속의 감나무다.

옛날 옛적 섬마을에

몇 그루로 자녀 대학 공부시킨
전설일랑 뒤로 하고
얽다고 비하조차, 고와도 개똥밭에
나의 향 맡아 보소서 세상이 향기롭지
님은 누군가에게 이런 향 한 번 준 적?

[시작(詩作)노트]

우리는 모두 다양한 개성을 지니고 자연스러운 생김새로 각자 다른 모습과 성격을 지니고 태어난 존재다. 그러므로 획일적인 미의 기준으로 외모를 평가하고 차별하기보다는 사람마다 지닌 고유의 특성을 볼 줄 아는 심안(心眼)이 절실하게 필요 할 때가 아닌가 생각된다.

"탱자는 고와도 개똥밭에 뒹굴고 유자는 얽어도 큰 상(床)에 오른다"는 말이 있다. 오늘 통영산방에서 수확한 유자는 '내실이 다져져야 참된 가치를 발휘할 수 있을 것'이라는 말을 몸전체로 보여주고 있는 듯 하다.

기특하다. 살갑지 못한 주인이 눈길도 자주 그리고 제대로 주지 못했었는데 홀로 묵묵히 산방을 지키며 저리도 고운 빛과 모양으로, 거기다 그윽한 향까지 뿜어 내주다니 고맙기 그지 없다. 그대 덕분에 잡다한 번민일랑 거짓말 처럼 비워지는 듯 하다. 초겨울 문턱에서 호사 한번 누려 본 날이었다.

《자강불식自强不息의 유자나무》

유자는 겨울을 알리는 전령사로 향기롭고 따뜻한 유자차가 생각나는 계절이다. 유자는 등자, 황등이라고도 한다. 종류로는 청유자, 황유자, 실유자가 있다. 우리나라에서 유자가 잘 되는 곳은 남해안 쪽이다. 추운 곳에서는 잘 자라지 못한다. 가장 유명한 유자 산지는 경남 거제와 통영, 남해, 전남 고흥, 완도, 진도 등이다. 따뜻하여 바닷바람이 부는 곳이라는 공통점을 지니고 있다. 해풍이 함유되어 있는 염분이 유자의 숙성에 어떤 작용을 하는 것 같다.

중국에도 유자가 나고, 일본 사람들도 유자를 좋아하지만 그 향기와 맛은 우리나라 유자에 못 미친다.

한국에는 840년경(문성왕) 신라의 장보고가 중국 당나라 사신에게 얻어 와 퍼졌다고 한다. 한 때 유자나무 두어 그루면 대학생 한 명 등록금이 되던 시절도 있었다. 그 후 너도 나도 심어서 지금은 여기 저기 방치된 상태이기도 하지만, 유자나무는 심은 지 12년이 지나야 비로소 열매가 제대로 달린다고 한다. 내가 심어서 후손이 덕을 보는 나무이다. 꽃말은 '기쁜 소식'인데 유자나무 심긴 곳에는 기쁜 소식이 많이 들린다는 의미로 해석 하고 싶다.

유자의 가장 대표적인 영양성분에는 비타민 C를 들 수 있다. 이 양은 레몬의 3배가 넘는 양이다. 육체적 피로의 주범인 젖산이 축적되는 것을 막고, 스트레스 물질의 농도를 감소시켜 피로회복을 도와준다. 또한 감기를 예방하고 피부 미용에도 좋다. 껍질을 함께 먹기 때문에 다른 과실에 비해 섬유소의 섭취비율도 높은 편이라 할 수 있다.

다른 과일에 비해 특히 많은 것이 칼슘인데 이는 사과, 바나나 보다 10배 이상 많아 어린이의 골격형성과 성인의 골다공증 예방에 매우 유익한 식품이다. 술독을 풀어 주고 술 마신 사람의 입 냄새까지 없애주는 역할도 한다.

각종 종양 및 암 예방 등에도 효과가 있는 것으로 알려져 있다. 옛부터 한방 요법에서 최상의 의약품으로 활용되어 온 약귤인 셈이다. 유자는 최소한 서리를 세 번 맞아야 향이 좋은 유자를 거둘 수 있다고 한다. 유자는 익을수록 신 맛과 쓴 맛이 줄고 단 맛과 향이 좋아진다.

'탱자는 고와도 개똥밭에 뒹굴고, 유자는 얽어도 큰 상에 오른다.'는 말이 있다. 외모 지상주의자들에게 일침이 되는 과일이다. 내실이 다져져야 참된 가치를 발휘할 수 있을 것이라는 말을 몸 전체로 보여주고 있다.

또한 유자가 적게 맺힐 때는 나무에 고통을 준다. 막대기로 줄기를 때리고 가시도 꺾어 놓고, 발로 차고 뿌리도 잘라 놓고 하면 나무가 본능적으로 번식을 위해 열매를 더 많이 맺는다는 이야기가 전해 내려오고 있다. 시련과 고통 속에서 더욱 당당해지는 더욱 자기 자신을 강하게 만들어 가는 자강불식(自强不息)의 상징적 나무라 할 수 있다.

그래서 유자의 진하고 독특한 향기는 삶에 대한 낙관을 선사하나 보다. 유자 몇 개를 쟁반에 담아 방안에 두면 그 향기에 온갖 근심이 사라지는 듯 기분이 좋아지니 하는 말이다.

거제나 남해에서는 유자를 원료로 한 막걸리 등이 생산되기도 한다. 가정집에서도 유자에 소주 등을 넣고 유자주를 담기도 한다. 유자로 만든 술은 유자가 지니고 있는 신 맛을 잘 간직하여 피로를 회복하는데 좋은 술이라 할 수 있다. 유자주는 유자의 플라보노이드 성분이 함유되어 식감을 돋우어 주며, 육고기의 악취와 생선의 비린 냄새를 제거해 주므로 생선회, 물고기 등에 잘 어울린다.

또한 예로부터 나무껍질이나 나뭇잎, 풀잎 등을 입술로 불어서 소리를 내는 악기를 초적(草笛) 또는 초금(草琴)이라고 했는데 유자나무의 잎사귀를 말아서도 불었다고 하니 이 역시 유자나무의 격조를 한 층 높이는 이야기다.

''소반 위 일찍 익은 붉은 감 곱기도 하다/유자가 아니라도 품어갈 만 하지만/품어가도 반길 사람 없으니 그것으로 인하여 서럽구나'' 이처럼 조선시대 박인로의 시조에서도 유자가 등장한다. 효를 추구하는 조선사대부의 모습이 잘 나타나 있다.

찬바람 불어오는 겨울철에는 청정한 한려수도에서 갓 잡아온 펄펄뛰는 생선회 한 접시 또는 막 건져낸 싱싱한 굴, 가리비 조개 등과 더불어 유자주 한 잔 곁들인다는 것만으로도 일상에 지친 심신의 활력소가 되지 않을까?

이탈리아 작곡가 마스카니의 오페라 '카발레리아 루스티카나'에는 '오렌지 향기 바람에 날리고'라는 곡이 있지만 우리는 '유자 향기 바람에 날리며' 달리는 겨울 낭만의 인생 기차를 타봄직도 하다.

단심가(丹心歌)

그대 곁 다가가려
애태운 그 시간들
길마다 설운 사연 다둑인 작은 숨결
간절함 하늘에 닿아
피워냈군 붉은 혼

*최진태 作

[시작(詩作)노트]

아 아 나의 청춘의 이 피 꽃! - 동백꽃

정열의 꽃, 이글이글 불타오르는 원색의 꽃, 동백나무는 이렇게 표현된다. 화려하고 강렬하기로 따지면 동백꽃만한 것도 없다. 모노톤 일색의 겨울 풍격 속에서도 식지 않은 열정을 꽃으로 피워낸다. 특히나 파란 하늘 파란 바다와 대비되어 선명한 붉은 빛으로 피어나는 동백꽃은 남도의 겨울부터 봄까지의 기억을 아름답게 추억하게 한다. 하얀 눈 위에 붉게 떨어진 핏빛 자국, 한 겨울 붉은 꽃으로 보는 이를 숙연하게 만드는 동백꽃, 그 꽃은 꽃잎 하나 시들지 않은 채 꽃송이 그대로 툭 떨어져 생을 마감한다. 한 치의 미련 없이 그렇게 떨어지는 모습을 보고 있노라면 왜 그를 순교자에 비유했는지 고개가 끄덕여진다.
선연한 아름다움이다.

실바람 한 오라기 없는 이른 겨울 아침 하얀 눈 위에 떨어지는 선혈을 보라, 동백은 늙고 병들어 사라지는 꽃이 아니기에 아쉬움이 더한다. 떠나는 뒷모습이 아름다워야 진정 아름다운 사람이라고 했던가, 박수 칠 때 떠난다는 사실, 떠난 자리가 아름다워야 한다는 사실은 잊어서는 안 될 일이다. 꽃 색깔이 봄꽃처럼 붉고 선명하지만 무성한 나뭇잎 속에서 결코 자신의 화사함을 드러내지 않고 다소곳이 핀 모습은 순수한 여인을 상징한다. 실상은 지극히 정열적으로 불타는 모습이지만 결코 그렇게 보이지 않고 안으로 응집되어 절제된 강인함과 편안함이 느껴지는 꽃이다. 이런 탓에 동백꽃의 꽃말은 '당신은 내 마음의 불빛', '불타는 사랑', '겸손한 아름다움', '신중', '침착' 등 대부분 내면에 잠재한 뜨거운 정열과 외면에서 느껴지는 정숙미를 표현하고 있다.

예로부터 동백은 신성과 번영을 상징하는 길상의 나무로 취급되었다. 따라서 남쪽지방에서는 초례상에 산죽 대신 동백나무가 꽂혔다. 동백나무는 많은 열매를 맺기 때문에 다자다녀를 상징하게 되었다. 나아가서 이 나무는 여자의 임신을 돕는 것으로 믿어졌다. 예로부터 선비들은 동백을 매화와 더불어 엄한지우(嚴寒之友)에 넣어 치켜세우기도 하였는바 허백련 화백은 매화와 동백, 대나무를 '세한삼우'라 하였고, 매화, 동백, 수선을 '삼우군자'라 하였다.

동백은 다양한 꽃의 크기와 색깔이 있고 꽃의 모양은 홑꽃, 겹꽃, 반겹꽃 등이 있다. 우리 토종 동백꽃은 모두 홑꽃잎으로 이루어져 있고, 돌연변이를 일으킨 분홍동백과 흰동백은 아주 드물게 만날 수 있을 따름이다. 겹꽃잎이 여러 가지 색깔을 갖는 동백이 널리 퍼져 있지만 이는 개량된 고급 원예품종이 대부분이다. 품격으로 따지면 토종 홑동백이 한 수 위다.

동백에서 얻을 수 있는 가장 귀중한 것은 동백기름이었다. 동백기름은 뭐니 뭐니 해도 단아한 한국 여인의 머릿결을 맵시 있게 해주는 머릿기름으로 애용되었다. 진시황은 불로장생의 약으로 불로초와 불사약을 구하기 위해 동해로 사람을 보냈다는 전설이 있다. 그 사신이 우리나라의 제주도에 와서 가져간 불사약이 바로 동백기름이라고 주장하는 학자도 있다.

일본 교토 쓰바키사(椿寺)에는 임진왜란 때 가토 기요마사가 우리나라 울산성에서 훔쳐 도요토미 히데요시에게 바친 오색 동백이 아직도 살아 있다고 하는데 히데요시는 이 나무에서 얻은 동백기름을 즐겨 복용했다고도 한다.
동백의 목재는 재질이 굳고 치밀해서 최고급 목기, 악기, 농기구, 얼레빗 등을 만드는데 쓰였다.

동백은 시나 소설, 회화, 노래, 오페라 등 문학예술 작품에 많이 등장하고 있다.

통영의 대표시인 청마 유치환은 "그대 위하여/목 놓아 울던 청춘이 이 꽃되어/천년 푸른 하늘 아래/소리 없이 피었나니/(중략)/그대 위하여선/다시도 다시도 아까울리 없는/아 아 나의 청춘의 이 피꽃"을 바치려 했다. 문정희 시인은 "뜨거운 술에 붉은 독약 타서 마시고/천길 절벽 위로 뛰어내리는 사람"이라며 극적인 동백의 낙화를 표현했다.

박경리 선생은 소설 '김약국의 딸들'에서 "충렬사에 이르는 양켠에는 아름드리 동백나무가 줄을 지어 서있고 아지랑이 감도는 봄날 핏빛 같은 꽃을 피운다"고 통영 동백을 묘사하고 있다.

통영 주변에 동백이 지천이다.

수우도, 우도 둘레길, 추도의 용두암 가는 해변길, 거제 지심도, 그리고 통영 미륵도 산양도로 일주를 한 바퀴 돌아 달아 공원에 이르는 도로변에 서있는 동백나무는 동백나무 가로수 중 가장 가로수다운 모습을 하고 있다는 평판을 얻고 있을 정도다.

그런 의미에서 통영은 역시 동백의 도시라 하기에 부속함이 없다.

봄이 오고 있다. 이럴 때 청춘의 피꽃이 손짓하는 곳으로 발길 한번 옮겨본들 어떠하리오. 그 동백꽃 결기 듬뿍 받으면서 방풍이며 취나물 향기 물씬 나는 훈풍의 봄을 맞을 채비도 서두르자.

어디선가 이미자의 '동백아가씨'가 울려 퍼져 올 듯 한 시절이다.

"헤일 수 없이 수많은 밤을/내 가슴 도려내는 아픔에 겨워/얼마나 울었던가 동백아가씨/그리움에 지쳐서 울다 지쳐서……."

《 동백 아가씨 / 서 안나 》

야야 장사이기 노래 쪼까 틀어봐라이/그이가 목청 하나는 타고
난 넘이지라/동백 아가씨 틀어 불면/농협빚도 니 애비 오입질도
암 것도 아니여/뻘건 동백꽃 후두둑 떨어지듯/참지름 맹키로
용서가 되불지이

백 여시같은 그 가시내도/행님 행님하믄서 앵겨붙으면/가끔은
이뻐보여야/남정네 맘 한 쪽은 내삘 줄 알게되면/세상 읽을 줄
알게 되는 거시구만/평생 농사지어봐야/
남는 건 주름허고 빚이제

비오면 장땡이고/햇빛나믄 감사해부러/곡식 알맹이서 땀 냄새가
나불지/우리사 땅 파먹고 사는/ 무지랭이들잉께/땅은 절대 사람
버리고 떠나질 않제/암만 서방보다 낫제

장사이기 그 놈 쪼까 틀어보소/
사는 거시 벨것이간디/내 가심이 다 붉어져야

시방 애비도 몰라보는 낮술 한 잔/ 하고 있소/서방도 부처도 다
잊어불라요/야야 장사이기 크게 틀어봐라이/장사이기가 오늘은
내 서방이여.

낙화유수

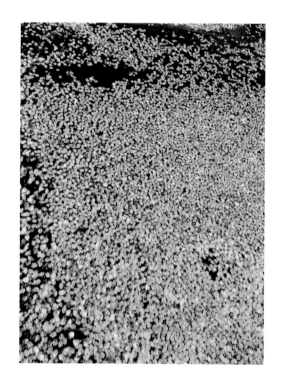

길바닥에 휘갈겨 쓰여진
절명시 한 줄에
가슴이 철렁
행여나 내 사랑도
아니지 설마

찰나의 미학을 보여주는 '벚꽃'

해마다 4월 이맘 대 쯤 어느 시인이 '웃음을 잃지 않는 분홍빛 이마'라고 표현한 벚꽃을 주제로 펼치는 향연이 전국적으로 벌어진다. 벚꽃처럼 눈부신 꽃도 없을 듯싶다. 일제히 함께 피어나 꽃수레를 이루고 온 세상을 환상의 흰 구름으로 덮어 버린다. 그 어떤 꽃이 이 세상을 눈 온 날 아침처럼 하얗게 만들어 버릴 수 있을까?

벚꽃이 일시에 피어 절정을 이룰 때는 태양아래서도 그 화려함을 자랑하기가 모자라 밤거리 마저도 술렁인다. 어둠 속 불빛에 비춰보는 벚꽃은 더욱 환상적이다. 꽃은 피는 듯 하다 봄비나 바람결에 함박눈이 내리듯 꽃잎은 시들지 않고 무참하게 흩날려 짧은 생을 마무리 한다. 산화(散花)라는 말이 여기에 어울릴 듯 하다. 꽃다운 나이에 전쟁에서 목숨을 잃기라도 하면 '산화했다' 라고 말하고 있듯이.

꽃비가 아름답게 내리면 아름다운 길이 생긴다. 그뿐 아니라 낙화한 꽃잎들이 이루는 꽃길 역시 아름답다. 벚나무는 꽃이 피어 있는 것도 좋지만 꽃이 지는 것을 보는 것도 더할 수 없이 좋다. 수천 수만 마리의 나비가 한꺼번에 나무에서 날아 내리는 듯 불과 며칠만의 짧은 기간에 몽땅 진다.

이렇게 봄꽃 중의 왕이라 할 수 있는 벚꽃의 아름다움을 즐기면 서도 한편으론 거부감이 도사리기도 하는 것은 일제 식민지 시대의 잔재 때문이리라. 그러나 일본인들이 광적으로 좋아하는 왕벚나무는 그 자생지가 우리나라 남해안과 제주도로 밝혀져 있다. 한국이 고향이다. 즉 우리의 나무이다. 그런 연유인지 아닌지 모르겠으나 일본은 법률로 나라꽃으로 정한 적이 없다.

일본을 대표하는 왕실의 상징은 가을에 피는 국화(菊花)문양이며, 일본의 여권 표지도 이 국화 문양이 새겨져 있다.

사실 벚나무는 지금처럼 꽃구경에 넋을 빼앗기는 '꽃놀이 나무'가 아니었다. 껍질을 벗겨 군수 물자로 이용하는 무기산업의 첨병이었다. 활에 감아 손을 아프지 않게 하는 재료로 쓰였기 때문이다. 병자호란 이후 효종 임금은 벚나무 심기를 장려했다고 한다. 벚나무는 종류도 무척 많아서 왕벚나무를 비롯하여 산벚나무, 개벚나무, 수양벚나무, 섬벚나무, 올벚나무, 털벚나무 등이 있으나 구별하기 어려운 까닭에 많은 종류를 통틀어 벚나무라 부른다.

벚꽃은 꽃차로 마셔도 좋다. 벚꽃의 색과 향기, 모양을 그대로 담아 찻잔에서 봄을 만날 수 있다.

그리고 뭐니 뭐니 해도 팔만대장경에 사용된 나무 가운데 60퍼센트 이상이 산벚나무라는 사실을 간과 할 수 없다.

일본 영화 '사월이야기'에서의 압권은 역시 비처럼 쏟아지는 벚꽃이다. 또 톰 크루즈 주연의 '라스트 사무라이'에서도 눈처럼 휘날리는 벚꽃아래에서 하이쿠 한 귀절같은 '퍼펙트'외치며 죽어가는 사무라이가 등장한다.

이런 벚꽃엔 비장미가 곁들여 더욱 아름답게 느껴지나 보다.

"화다닥 일시에 일어서서/화들짝 한꺼번에 지고 마는/그 짧은 생애가 서러워/눈시울 붉힌다/석별을 아쉬워하며 떨리는 그 입술/차라리 보이지를 마알 것을" (졸시 '벚꽃').

한마디로 벛꽃은 찰나의 미학을 온 몸으로 보여주는 미술가이며 음악가이며 연극인이며 철학자의 모습을 모두 지니고 있는 꽃이라고 할 수 있겠다. 통영에서는 '봉숫골 벛꽃길 꽃나들이' 축제도 있다.

벛나무 그늘에 앉아 구수한 향의 원두커피 한 잔도 좋고, 걸쭉한 탁배기 한 잔, 또는 맥주잔 그라스에 떨어지는 꽃잎 후후 불며 벛꽃 한 번 관상해 보심은 어떠하실지? 바로 이 꽃의 다른 이름인 피안앵(彼岸櫻)의 의미는 세상의 번뇌에서 벗어나 열반 세계에 도달한다는 뜻임을 한 번 더 새기면서……

아, 이 강산 낙화유수로구나!

《벛꽃 지는 밤 / 최진태》

어느 시인*이 말했던가
'사쿠라꽃 피면
여자 생각에 쩔쩔맨다'고
봄밤에 펄펄 꽃눈이
천지에 쏟아져 내려
속절없이 허물어지는 심사
무언가가 아쉽고
무언가가 서러운 시간
이렇게 또 한번

내 생의 봄날은 떠나가느니
오늘밤 어느 불빛 흐린
목로주점에 앉아
청춘의 한 서러움같은 기억들
술잔 속에 묻어 두리

*김훈

하늘 물고기

바람결 풍경(風磬)
살풀이 춤사위에
일렁인 눈물
피안의 저쪽
소식 한자락 들릴 듯 말 듯

[시작(詩作)노트]

처마자락에 매달려 뎅그렁 뎅그렁 울려 퍼지는 풍경 소리는 한여름으로 접어드는 계절에 걸맞게 호젓한 분위기를 일깨우고 있다. 헌데 왜 이런 풍경에는 물고기가 달려있을까?

물고기는 귀가 없는 대신에 소리의 파동에 특별한 감수성을 지닌다. 많은 신화와 전설들에 물고기가 등장하는 것은 이 육감과 무관하지 않다고 본다. 물고기가 사는 물을 서양 심리학 이론에서는 무의식과 감정을 나타내며 그것은 슬픔이나 기쁨의 눈물이기도 하다. 많은 문화와 교의(敎意)들에서 물고기는 목적에 대한 희생을 상징했다.

불교에서는 목어(木魚)는 물속의 중생들을 구제하기 위해 물고기 모양으로 만든 목재 법구를 말한다. 즉 나무를 깎아 물고기 모양을 만들고 속이 비게 파내어 양벽을 나무 막대기로 두들며 소리를 내는 법구다. 어고(魚鼓), 목어고(木魚鼓), 어판(魚板)이라고 하며 범종각에 매달아 놓는다. 목어는 물속의 중생구제 이외에도 게으른 수행자를 경책한다는 의미를 담고 있다. '증수교원청규 목어조'에 따르면 한 스승이 배를 타고 강을 건너다가 방탕한 생활로 인해 죽어 물고기로 환생한 제자가 슬피 우는 것을 보고, 수륙제를 베풀어 물고기의 몸에서 벗어나게 해주었다. 그날 밤 제자는 스승의 꿈에 나타나 ''저의 등에 난 나무를 깎아 저와 같이 생긴 물고기를 만들어 쳐 주십시오. 수행자들에게 제 이야기가 좋은 교훈이 되도록 제 이야기를 들려주십시오''라고 말했다. 그 후 스승은 그 나무로 목어를 만들어 대중을 경책했다.

목어는 대부분 물고기의 모습을 띄고 있지만 물고기 형상에 용의 얼굴을 한 것도 있다. 용의 얼굴을 하고 있을 경우에는 입 속에 여의주를 물고 있다. 이는 잉어가 용으로 변화하는 어변성룡(魚變成龍)을 보여주기 위해서다.

길고 곧은 물고기 모양으로 만들어 걸어 놓고 치는 목어는 후대로 내려오면서 둥글게 변했다. 둥근 것이 더 변형되고 작아져 휴대가 가능해진 것이 바로 목탁(木鐸)이다. 목탁의 길게 파인 홈과 양쪽의 둥근 구멍이 물고기의 입과 눈이라 생각 해 보았는지요?

또한 주술적 의미도 곁들여 있다. 화기(火氣)를 누른다는 것이다. 즉 불이 나지 않도록 예방적 차원에서 물고기 모양의 금속판을 매어달아 놓았다.

그러나 이 불은 실체의 불만이 아니라 마음의 불도 포함된다. 바람이 세찰수록 화재의 위험이 그만큼 높기에 그런 밤에는 풍경이 밤새 울어 대중에게 불조심에 대한 경각심을 일깨워 주었던 것이고 또 우리 마음에 팔풍(八風) 즉 이익이 되는 것 '이(利)' 세력이 줄어드는 것 '쇠(衰)', 비난하고 공격하는 것 '훼(毀)', 기리는 것 '예(譽)', 칭하는 것 '칭(稱)', 비웃는 것 '힐(詰)', 고생하는 것 '고(苦)', 즐거운 것 '락(樂)'이 거칠수록 올바로 깨어 있어야만 삼독의 불길이 일어나지 않는다는 의미도 있다고 한다.

부산 금정산의 유래를 보면 언젠가 하늘에서 내려온 금어(金魚)가 산꼭대기 샘에 자리를 잡았다고 전해진다. 이후 샘은 마르는 법이 없어 금빛 물이 흘렀다. 샘의 이름이 금정(金井), 즉 금샘이고, 샘을 품은 산은 자연스럽게 금정산(金井山)이 되었다. 이후 의상대사는 산자락에 절을 열고 이름을 범어사(梵魚寺), 즉 하늘 물고기의 절이라고 지었다.

물고기는 성서와 미술, 문헌 등에서 그리스도의 상징으로 자주 나타난다. 성서에는 물고기를 거론하거나 상징적으로 언급하는 경우가 60곳이 넘는다. 로마의 탄압을 받던 초기 그리스도교들의 마음속에 자리 잡은 신어(神魚)사상은 물고기가 아이콘으로 서로 기독교인임을 확인하는 장면이 영화에 여러 번 나온다. 그리고 지하 교회인 카타콤에 오병이어(五餠二魚)를 그렸다. 즉 예수가 떡 다섯 개가 가운데 있고 물고기 한쌍이 양쪽에서떡을 보호하는 그림이다. 또한 그리스도인들은 물고기가 인간의 혼을 자신의 뱃속에 넣어 나른다고 했는데 이런 전설의 의미는 사제들만이 물고기를 성찬용 음식으로 먹었던 시대에서 유래되었다고 한다.

기독교에서는 예수의 상징이자 그 자신, 즉 그리스어로 물고기는 익투스(Ichtus)이고, 이는 '하나님의 아들 구세주 예수 그리스도'의 이니셜과 발음이 같다고 한다.

부처님의 족적(足跡)에도 물고기가 그려져 있다.

물고기는 여러 종교에서도 중요한 상징이다. 특히 서양에서는 물고기 세 마리가 뫼비우스의 띠처럼 물고 물리거나 머리 하나를 공유하는 무늬가 있다. 트리쿼트라(Triquetra)라 불리는 이 무늬는 영원한 생명을 상징한다.

북구애서 오딘(Odin) 신(神)의 힘을 상징한다는 발크우드(Valknut) 켈트(Celt)의 성호(聖號북), 기독교에서 삼위일체의 상징이 되기도 했다.

몽골인에게 물고기는 안전운행을 기원하는 부적이었다. 몽골의 풍속에는 물고기가 매우 영특한 존재로 되어 있다. 물고기는 사람의 눈으로는 잘 안보이는 물속에 살지만, 사람이 사는 모습을 다 본다고 믿고 있었다. 물고기는 사람보다 눈이 좋아서 물속에서도 사람들이 잘 살아가는지 또는 위험에 처했는지 살핀다고 생각했다. 그래서 라마교를 신봉하는 몽골 사람들은 물고기를 절대로 먹지 않는다고 한다. 두 마리의 물고기를 신봉하는 신앙이 후대에 티베트의 라마교에 습합되어 라마교 팔보(八寶)중의 하나가 되어 사원에 장식되었으며, 라마교가 몽골인들에게 전파된 후 몽골인들도 라마교 사원에 쌍어(雙魚)를 귀하게 모시고 있다.

고구려의 주몽이 부여를 떠나 남하 할 때 물고기와 자라가 놓아주는 다리 덕분에 큰 강을 건널 수 있었다는 전설이 삼국사기에 있는 것으로 보아 부여족 같은 유족민에게도 물고기 신앙이 퍼져 있었음을 알 수 있다.

언어학자 강길운 교수의'가야어와 드라비디어의 비교(I)'라는 논문에서 가락과 가야는 모두 물고기라는 뜻의 드라비다 계통의 말이라고 했다. 가락(Karak)은 구(舊)드라비디어로 물고기를 뜻하고, 가야(Kaya)는 신(新)드라비디어로 물고기라는 것이다. 예전에 고사때 북어를 광목에 묶어 방안에 매달아 두었다거나, 떡시루에 북어 두 마리를 꽂는 풍습도 있고 고리나 반다지, 쌀뒤주에 걸린 물고기 모양 자물쇠들, 백제 무령왕릉의 두침(頭枕)에도, 신라 금관총의 금제 허리띠에도, 고구려의 고분 벽화에도 물고기는 어김없이 등장해 죽은 이를 지키고 있다.

아시리아, 바빌로니아, 페르시아, 스키타이, 간다라, 윈난, 쓰촨, 수메르, 야마다이코쿠에 이르는 사람들에게 두 마리 물고기 즉 쌍어(雙魚)는 만물을 보호하는 수호신적 의미가 있었다. 티베트 인들은 연꽃 위에서 서로 마주보고 있는 한 쌍의 물고기를 행복의 상징으로 여긴다. 파키스탄 간다라 지방을 운행하는 자동차에 그려진 쌍어 문양, 왜국 여왕의 옷을 장식한 쌍어 문양, 차마고 도에서 발견되는 쌍어 문양, 중국에서는 여행자들의 숙소나 식당, 재물을 지키는 존재로 대접받았다. 우리나라에서도 경남 김해 수로왕릉 정문에는 물고기 두 마리가 입을 마주대고 있는 무늬 즉 쌍어문이 새겨져 있다. 이는 김해 수로왕의 왕비인 허황옥 황후가 인도 아요디아에서 시집올 때 가야에 가져온 쌍어 신앙의 영향이다. 인도 아요디아에서는 마누 조상을 구해준 물고기를 신으로 삼았다. 이것이 허황옥이 떠나온 코살라국에서 쌍어문을 문장(紋章)으로 삼은 신화적 배경이라고 학자들은 주장한다. 김해 은하사, 울산 개운사, 양산 통도사 삼성각, 양산 계원사 등지에서도 이 두 마리의 물고기 쌍어(雙魚) 문양이 발견되고 있는 것은 결코 우연이 아닌 것이다.

절집에 앉아 차한잔 마실 때 이따금 들려오는 저음의 깊은 풍경 소리에 귀를 기울여 본 사람이라면, 이리 저리 떠놀던 번삽한 마음도 본래 자리로 돌아가고 싶은 평화가 찾아듦을 느껴 보았을 것이다. 이럴 때 풍경소리는 천상(天上)의 소리처럼 아름다운 소리가 아닐 수 없다.

나민애 문학평론가는 ''바람 한 조각으로도 이 세상은 무심에서 유심으로 바뀔 수 있다.''고 말한다. 벌써 본격적 더위가 오는 듯 한데, 왠일인지 오늘따라 시원한 바람이 불어 오며 뎅그렁 거리는 풍경 소리에 괜스레 누군가가 아련히 그리워진다."뎅그렁 바람따라/ 바람이 웁니다./
그것은, 우리가 들을 수 있는/소리일 뿐/아무도 그 마음 속 깊은/

적막을 알지 못합니다./만등(卍燈)이 꺼진 산에 풍경이 웁니다/
비어서 오히려 넘치는 무상(無上)의 별빛./아! 쇠도 혼자서 우는/
아픔이 있나 봅니다.”
라는 김제현 시인의 '풍경'이라는
시도 저절로 떠올려지면서.

수행자

오늘 저 세상에 가야 하는 것처럼
저 세상을 위해 살고
영원히 살 수 있는 것처럼
오늘을 산다. 하루의 아름다움으로
온 세상을 밝히며

[시작(詩作)노트]

《근심을 없애준다는, 원추리꽃 》

온갖 만화방초들이 무성하게 우거지고 피어나는 한 여름이라도 때로는 문득문득 까닭모를 외로움을 느끼게 될 때가 있다. 그리고 여름은 그 외로움을 더욱 더 뜨겁게 익혀준다. 언제나 봄이 오고 여름이 오듯 외로움은 찾아 들지만 한여름 밤의 외로움이란 유난히도 쓸쓸한 것 같다. 그 마음을 달래주듯 원추리 꽃이 사랑스런 애교 머금고 산방 뒤뜰에 환한 등불로 태어났다. 샛노란 기운이 선연한 꽃을 멀찌감치 한 송이씩 피우고 있다. 기린처럼 목을 길게 늘이고 커다란 꽃을 피우고 있다. 단 하루 동안의 아쉽고도 황홀한 개화의 절정을 이루고 있는 하루살이 백합 원추리가 산방에 밝은 빛을 주고 있다.

단 하루만 꽃을 피우는 야생화. 그래서 이꽃의 이름을 서양에서는 'Daily Lily' 곧 하루살이 백합이라고 부른다고 한다. 서너개의 잎줄기를 가진 한 그루의 풀포기에 또 한 개의 꽃대를 올린다. 그리고 그 꽃대에서 단 한 송이의 꽃을 피운다. 꽃봉우리가 개화 준비를 하면서 며칠간 제법 큰 크기의 봉오리를 만들고, 꽃이 꽃잎을 오므리고 나서도 이삼일 동안은 꽃자루에 붙어 있기 때문에 연노랑이나 등황색의 밝은 꽃 색을 감상할 수 있는 것이 단 하루만은 아니라고 할 수 있다.

원추리는 꽃이 크고 겹으로 피는 왕 원추리, 홑꽃이지만 꽃이 큰 원추리, 꽃이 다닥다닥 붙은 큰 원추리, 꽃이 작고 연노랑색인 애기 원추리, 꽃이 작고 예쁜 각시 원추리, 골잎 원추리 등이 있다. 원추리 꽃중에서 가장 일찍 피는 애기 원추리는 초여름 6월부터 피어나고 애기 원추리가 신고식을 마치면 왕원추리, 노랑원추리가 풀섶에서 기다란 키를 자랑하며 맵시를 뽐내면 완연한 여름이 왔음을 알 수 있다.

고유의 이름은 '넘나물' 또는 '엄나물'이었고 '원추리'란 이름은 한자 이름 '훤초(萱草)'가 변해서 된 것이라고 한다. 우리말 가운데 남의 어머니를 높여서 '훤당(萱堂)' 이라고 부르는데 그것은 어머니들의 거처인 북당 터에 심었기 때문에 생긴 말이다. 훤초>원초>원추>원추리로 변해 갔다고 식물학자들은 얘기한다. 꽃말은 '지극한 정성' 이다.

우리나라 어디서나 볼 수 있는 이 원추리를 오랜 옛날부터 우리의 어머님들은 장독대나 뒤뜰에 심어놓고 늘 사랑해왔다. 꽃 자체가 아름다웠기 때문이기도 했지만은 그보다는 다른 목적이 있었기 때문이었지 않을까? 원추리는 단백질, 포도당, 지방, 비타민, 무기질이 들어 있는 건강식품이다. 봄에 어린순과 잎을 나물로 먹는다. 푹 삶아 물에 담가서 우려낸 뒤 초고추장에 무치거나 참기름에 볶거나 된장이나 고기를 넣고 국을 끓이기도 한다. 밥을 지을 때 잘게 썬 새순이나 꽃술을 떼어 낸 꽃잎을 넣기도 하는데 색이 아름다워서 식욕을 복돋운다. 여름에는 꽃을 따서 김치를 담그거나 햇빛에 말렸다가 차를 끓여 마시는데 입안이 들큼하고 부드러워 마시기 좋다. 덩이뿌리는 멧돼지가 좋아하는 먹이로 전분이 많아 말린 것을 가루로 내어 떡을 만들기도 한다. 원추리는 독성이 조금 있어 날로 먹으면 설사를 하므로 반드시 익혀 먹는 것이 좋다. 너무 많이 먹어도 시력이 떨어지므로 주의를 요한다고 한다.

원추리의 색은 등황색이다. 등황은 노랑의 하나인데 이 노랑색은 오랜 옛날부터 다섯방위 가운데서 중앙을 나타내는 색으로 오색 (五色)중 가장 중요한 색깔로 여겨져 왔다. 이 오색은 각 방위를 상징하는 것은 물론이고, 각 방향에서 들어오는 잡귀를 막아주는 벽사(辟邪)의 주력을 가진 색으로 인식하기도 했다. 신혼 신부에게 노랑저고리에 분홍치마를 입히는 것이라든지, 아이들에게 입히는 색동옷에 반드시 이 노랑색이 들어가는 모두가 그 때문이었다. 뿐만 아니라 노랑은 부귀와 번영과 영화의 색이기도 하다. 곡식이 익었을 때의 빛 또한 황금빛이다. 이래저래 노랑은 우리 조상들이 가장 선호하는 색상이 되어 왔다. 따라서 이 황금빛이 나는 꽃을 집 안에 심어놓고 언제나 봄으로써 집안에 부귀영화를 함께 불러들일 수 있다고 믿는데서 이꽃을 심었던 것이다. 일종의 주술신앙이라 하겠다. 그뿐만 아니라 옛사람들은 임산부가 원추리 봉우리를 품고 다니면 아들을 낳는다고 했다. 그래서 '의남화(宜男花)'라고도 부른다. 원추리 꽃의 봉우리를 보면 마치 아기의 고추를 닮았으니 그런 이야기가 생겼는지도 모른다. 이밖에도 원추리 나물을 많이 먹으면 취해서 의식이 몽롱하게 되고 무엇을 잘 잊어버린다고 한다. 그래서 온갖 시름을 날려 보내는 꽃이라고 하여 '망우초(忘憂草)'라고도 부른다. 잊고 싶은 온갖 시름을 우리 조상들은 원추리와 함께 달랬다.

원추리는 질 때면 꽃잎이 오므라들어서 비비꼬인다. 그 꼬인 꽃잎은 잘 엉켜 있어서 의도적으로 꽃잎을 펼 수가 없다. 아기의 고추 같던 꽃봉오리가 활짝 핀 후 다시 봉오리처럼 오므라드는 생김새를 보면서 오랫동안 헤어졌다 다시 만나는 부부의 기쁨을 생각했던 것 같다. 그래서 '합환화(合歡花)라고도 한다. 또한 원추리에는 성적흥분을 일으키는 물질이 들어있다고 해서 옛날 중국의 황실에서는 꽃을 말려 베개속을 채웠다고 한다. 꽃에서 풍기는 향기가 정신을 혼미하게 하고 성적 감흥을 일으켜 부부의 금실을 좋게 한다고 믿었던 것이다. 그래서 원추리를 황금의 베개를 뜻하는 '금침화(衾枕花)'라고도 했다. 또 한 가지는 가을이 되면 땅위에서 자라던 것은 일반 여러해 살이풀처럼 말라죽고, 땅속에 들어있던 부분이 겨울을 지나 다시 자란다. 그런데 말라 버린 잎도 떨어지지 않고 엉켜서 겨울동안 땅속의 싹을 덮고 있다가 새싹이 자랄 때 썩어서 거름이 된다. 사람들은 이 같은 현상을 엄마가 아기를 보호하는데 비유하여 '모애초(母愛草)'란 이름으로 불렀다. 참 사연이 많은 꽃이다.

수년전 산방과의 인연이 닿던 날, 그해 7월초 처음으로 그곳을 둘러본 날 뒤뜰에 무성히 무리지어 피어있던 원추리 꽃이 생생히 떠오른다. 당시에 옛 주인이던 스님이 힘주어 자랑하던 꽃이라 기억이 새롭다. 그리고 아득한 유년시절 고향 우물가에서 보았던 그 꽃이 바로 이 원추리란 것도 그때 알았다. 아마 첫눈에 산방 건물과 터에 반한 이유일 줄도 모른다는 생각도 든다. 그렇게 나는 '원추리'를 이곳 산방 뒤뜰에서 만나게 된 것이다. 그러기를 벌써 수년이 훌쩍 지나갔지만 원추리는 묵묵히 주인이 관심을 주던 안주던 그 곳 그 자리에서 피고지고를 계속해오고 있었던 것이다. 원추리 꽃의 개화를 보고 여름의 시작을 알게 되고, 꽃이 지는 것과 더불어 여름이 감을 알 수 있게 된 것이다. 그간 무심했던 시간을 돌이켜보게 되었다. 자지러지게 울어대는 매미소리가 한여름의 절정을 알리며 염천의 무더위, 열대야를 이루며 숨을 헐떡거리게하는 풍경이 곧 펼쳐지리라.

인간들의 물질적 탐욕 속에 자연을 정복과 개발의 대상으로만 보는 것에서 지구 곳곳에 온난화, 풍수해, 남북극 빙하의 녹음 등등 재해를 초래하고 자연본연의 생태학적 리듬을 깨뜨리고 있는 세태를 본다. 모든 게 뿌린 대로 거둔다는 것이 인과의 법칙인데,

그 것이 곧 재앙이 되어 우리 인간에게 돌아오고 있음을 왜그리 쉽게 간과하고 있을까? 곳곳에서 하기 좋은 말과 입으로만 뇌까리는 녹색성장. 생태친화적이라는 허울 좋은 말은 이제 더 이상 설득력을 잃어가고 있다.

자연은 결코 정복의 대상이 아닌 인간과의 공존의 대상으로 조심스레 접근해 나가야 되지 않을까?

근간에 서구 국가들 중에서는 하천이나 강, 보도(步道)에 깔았던 콘크리트 등을 다시 걷어내고 자연적인 환경으로 바꾸는 작업도 역으로 하고 있다고 한다. 자연을 오히려 망치고 있으면서 '생태천이 부활하고 있다'는 등 전시적인 효과를 홍보하기에 급급하고 있는 한심한 세태를 보면서 하는 말이다.

가슴 답답해오는 현실을 접고 다시 산방으로 눈을 돌려본다. 해거름 저녁노을빛에 바라보는 원추리 꽃은 오늘따라 색이 더욱 곱다. 그저 햇빛과 물, 바람만 있으면 튼튼히 잘 자라 해마다 탐스런 꽃을 피워내는 원추리! 특히 소낙비가 거침없이 쏟아 붓는 날 세속의 온갖 근심 걱정거리 잠시라도 잊어버린 채 우산을 받들고 뒤뜰에 핀 등황색 원추리를 바라보는 운치를 맛볼 수 있다는 것만으로도 행복하다. 사바세계의 모든 근심 걱정이 그 환한 등황색 원추리의 빛 속으로 서서히 녹아 들어감을 느낄 수 있다면 그 역시 이열치열이 되지 않을까? 근심 걱정을 잊어버리게 하는 꽃 즉 '망우초(忘憂草)'라는 말을 실감하면서, 성경에 '내일 일을 염려하지 말라. 그날의 근심은 그날에 족하다.'는 말씀이 있다. 그런데 우리는 아직 있지도 않은 염려와 근심과 걱정까지 미리 안고 살아간다. 미래에 대한 불확실성이 그렇게 만들었을 것이겠지만. 우리가 염려하고 근심해서 긍정적인 방향으로 해결될 문제라면 좀 더 진지하게 고민해야 하겠다. 하지만 염려하고 근심한들 아무런 도움이 안 된다면 온갖 번뇌를 망각하는 것도 하나의 방법이 되지 않을까? 신이 인간에게 준 가장 큰 축복 중에 하나가 이 '망각'이란 말도 있다.

이처럼 우리 조상들은 나무 한 그루 꽃 한 포기 심는데도 이렇게 다양한 인문학적인 의미들을 부여하고 있었다는데 또 한 번 경탄할 뿐이다. 아무튼 꽃도 보고 나물로도 먹고 그리고 아들까지 점지 해 준다고 하고, 부부금슬도 다지고 또한 세속의 온갖 근심 걱정까지 잊게 해준다니 더욱 예쁜 꽃이다. 원추리 한 포기 화단이나 화분에 심어 관상하는 생활의 여유 역시 소확행!

빈자일등(貧者一燈)

페지 리어카 밀고가는 등굽은 노인
이마엔 땀방울 송송
무표정 속 표정 무심하다
달관이 뭔지 초월이 뭔지 모른다네
도심의 대낮이 반짝 더 밝아졌다

계묘년 새해 아침에

아이야, 장애물은 껑충
세개 굴*은 미래의 꿈을 위해
곧고 반듯한 기도 소린 귀 쫑긋
오르막 내리막 길엔
지혜롭게 숨고르며 발 맞추길

*교토삼굴(狡兎三窟)

꾀있는 토끼는 훗날을 위해 굴을 세 개씩 파놓 듯,
어려운 일에 미리 대비하는 지혜로운 자세를 뜻 함

[시작(詩作)노트]

한국인들에게 가장 일반적인 토끼의 이미지는 귀엽고 사랑스러움이다. 이를 잘 드러내 주는 것이 '여우 같은 마누라와 토끼 같은 자식'이라는 어구가 아닐까? 이렇듯 매우 사랑스럽고 계속 보살펴 주어야 될 것만 같은 귀여운 존재가 바로 토끼이다.

우리나라 역사 기록에 토끼가 처음 등장한 것은 고구려 6대 태조왕 25년이다. 그해 10년 부여국에서 온 사신이 뿔 세 개가 있는 흰 사슴과 꼬리가 긴 토끼를 바쳤고, 고구려 왕은 이들이 상서로운 짐승이라 하여 죄수들을 풀어 주는 사면령을 내렸다는 기록이 있다.

토끼는 초식동물로, 보통 귀가 길고 앞발은 짧고 뒷발은 길어 깡충깡충 뛰어다니는 동물로 묘사된다. 만화영화의 소재가 될 정도로 친숙한 동물이기도 하다. 고기와 털을 얻기 위한 가축으로 키우는 것이 집토끼다. 굴을 파서 생활하는 야생토끼인 굴토끼를 집에서 키우기 시작한 것이다. 외관이 귀여운 편이기 때문에 일부에서는 애완동물로 키우기도 한다.

"산토끼 토끼야 어디로 가느냐"로 시작되는 동요 '산토끼'는 어린아이들이 유치원에서 아마 제일 처음 배우는 노래일 듯하다. 1928년 창녕군 이방면 안리 이방초등학교에 재직 중이던 이일래(1903-1970) 선생이 학교 뒷산인 고장산에 올라가 자유로이 뛰노는 산토끼를 보며 만든 노래다. 나라를 잃은 우리 민족이 자유를 되찾길 바라는 간절한 마음이 담겨 있다. 이곳 이방면에는 나지막한 산자락을 배경으로 '산토끼 노래 동산'이 있다.

"푸른 하늘 은하수/ 하얀 쪽배엔/ 계수나무 한 나무/ 토끼 한 마리"로 시작되는 이 동요를 한국인이라면 거의 모르는 사람이 없을 듯하다. 동요작곡가 윤극영이 1924년 스물한 살 때 작곡한 '반달'이다. 이 노래를 부르며 달을 보면 마치 토끼가 계수나무 아래서 떡방아를 찧는 것 같은 음영이 어렴풋이 비치는 것 같다. 어릴 때는 정말 토끼가 달 속에서 떡방아를 찧는다고 생각했다. 우리 설화에는 약자인 토끼를 지혜 있는 동물로 묘사한다. 어리석은 호랑이를 골탕 먹이는 이야기가 수없이 많다. 전래동화 속에서도 토끼가 강자에 대항하는 이야기가 많이 나온다.

'새마을 운동' 시기에 정부에서 농가 소득 증대와 구휼을 위한 토끼 키우기를 권장하며, 각 집마다 토끼를 길러서 푸줏간에 내다 팔아 용돈으로 만들기도 했다. 이 시기에는 학교에서도 토끼 키우기를 권장해서 각 반마다 토끼집 당번까지 있었을 정도였다. 아버지 세대들의 아련한 추억담이다. 오늘날은 식용만이 아니라 가죽의 이용, 의학 실험 등의 목적으로도 키운다.

세계 여러 나라에서노 토끼가 능상한나. '이상한 나라의 앨리스'에서는 토끼가 신사로 나온다. 독일에서는 부활절이 되면 부활절 토끼가 부활절 달걀을 나눠주는 민간 설화도 전한다. 이솝우화의 토끼와 거북이 우화도 있다.

토끼는 소설·만화 등의 작품세계에서도 인기가 있고 친근한 소재다. 인터넷 플래시 애니메이션으로 탄생한 엽기 토끼 마시마로는 이제 오프라인에서도 그 모습이 낯설지 않은 인기 캐릭터다.

마시멜로(marshmallow)의 어린아이식 발음이라는 엽기 토끼 마시마로는 매번 처한 문제를 굉장히 엉뚱하고 괴팍하게 풀어가면서 현대인의 속내에 후련한 대리만족과 유쾌한 웃음을 선사한다. 다소 과장되기는 했어도 토끼의 귀여운 이미지 속에 가려진 엉뚱하고 황당한 면을 마시마로가 잘 대변해 준다고 얘기한다.

또 만화 속에 등장하는 센타로도 빼놓을 수 없다. 한때는 '당근 있어요?'란 제목으로 알려졌던 일본 만화 '센타로의 일기'는 어느 만화작가가 우연히 기르게 된 애완 토끼를 다룬 이야기로 선풍적인 인기를 얻었다.

요 근래 개봉되는 영화 '피그(Pig)'가 떠오른다. 니콜라스 케이지(58) 주연의 영화인데, 전설적 주방장인 주인공 '로빈'이 아내를 여의고 은퇴를 결심한 뒤 숲속에서 은거 중일 때, 욕실도 전화기도 없는 오두막에 함께 기거하는 돼지가 유일한 벗이고 삶의 낙으로 표출되는 내용으로 전개되는 스토리이다. 동물과 인간과의 교감을 다룬 재미있는 발상의 영화다. 앞으로 토끼를 소재를 한 영화도 기대된다.

인도 불교경전인 자타카(Jataka)에 전해지며 본생경(本生經), 본생담(本生譚)이라 번역된다. 여기에도 토끼가 등장한다. 본생경은 부처가 석가족의 왕자로 태어나기 전에 삶에서 쌓은 공덕을 모은 설화집으로, 이 이야기에 나오는 토끼는 석가모니의 전생 중 하나이며 수백 가지의 전생 이야기가 수록되어 있다.

육조단경의 '이세멱보리 흡여구토각(離世覓菩堤 洽如求兎角)'에서 따온 말인데, 세간을 떠나서 깨달음을 구한다면 마치 토끼뿔과 거북털을 구하는 것과 같다는 뜻이다.
경남 사천에는 토끼와 거북이의 이야기와 연관된 비토섬(토끼섬)이 있다. 토끼와 거북이가 용궁에서 올라와 다시 육지로 나갈 때부터 상황이 뒤바뀐다. 토끼가 월등도(月登島) 앞바다에 도착하자마자 달빛에 반사된 월등도의 그림자를 육지인 줄 알고 뛰어내렸다가 토끼는 빠져 죽게 되고, 이로써 토끼의 간을 얻지 못하게 된 거북도 용왕을 만날 면목이 없어져 안절부절못하다가 스스로 목숨을 끊고 만다. 한편 남편 토끼가 돌아오기를 학수고대하던 부인 토끼 역시 이 소식을 듣고 절벽 아래로 몸을 던진다는 이야기가 전해오는 사천시 서포면 월등도 주변에는 토끼 아내가 죽어서 바뀐 비토섬, 거북섬, 목섬이 이런 애달픈 전설과 함께 남아 있다.

옛사람들은 밤하늘의 달을 바라보면서 계수나무 아래에서 불로장생의 떡방아를 찧는 토끼의 모습을 그리며, 토끼처럼 천년만년 평화롭게 풍요로운 세상에서 아무 근심 없이 살고 싶은 이상세계를 꿈꾸어 왔다.

앞서 언급했듯이 토끼전에서도 토끼의 간이 만병통치약이라고 나온다. 토끼는 묘방(卯方)인 동쪽을 맡은 방위신(方位神)으로 양(陽)의 세계인 해에서 양기(陽氣)를 받아먹고 음(陰)의 세계인 달에서 장생약으로 음약(陰藥)을 받아먹는다. 그 음양 기운이 간경(肝經)에 들어 눈이 밝은 동물로서 토끼의 간은 불로장생의 영약으로, 그래서 토끼는 장수의 상징(an emblem of longevity)이며 달의 정령(the vital essence of the moon)으로 묘사되고 있다.

오늘 밤 두둥실 떠오른 보름달을 우러르며 그간 세파에 찌들어 잃어버린 동심(童心)도 한번쯤 소환해 보며, 마냥 순수했던 그 시절을 떠올려 보자.

하늘나라에 들어가고자 할 때는 어린아이와 같은 마음을 가져야 된다고 하지 않던가. '동심(童心)은 천심(天心)'이라 했다. "푸른 하늘 은하수 하얀 쪽배에"로 시작되는 반달, "산토끼 토끼야 어디를 가느냐"의 산토끼, "토끼야 토끼야 산속의 토끼야"로 시작되는 '토끼야' 동요라도 흥얼거리면서 천진난만했고 순수했던 어린 시절의 그 모습으로 한번쯤 돌아가 보면 어떠할까?

"진실로(Truly) 너희에게 이르노니 너희가 돌이켜 어린아이들과 같이 되지 않으면 결단코(Never) 천국에 들어가지 못하리라" (마 18:3). 언제까지고 어린아이와 같은 순수하고 겸손함을 잃지 않으며 낮은 자로 임하게 되기를 기원해 본다.

포세이돈의 애마*

저출산 극복 대책
남녀가 따로없이 협업을 실천해야
심지어 수태 출산 역할분담까지도
님들의 순애보는 만인의 표상이라
우리 뇌 속 그대 역시 이같은 사랑 필요

*그리스 신화에 바다의 신 포세이돈의 마차를 끄는 몸은 말,
꼬리는 물고기 닮은 힘찬 동물을 일컬어 해마(Sea horse,
Hippo campus)라 지칭.

[시작(詩作)노트]

해마는 매우 독특하게 생긴 실고기목 실고기과의 물고기로 겉모습이 말을 닮았다. 그래서 한자권에서는 海馬, 영어권에서는 Sea horse라 칭한다.

신화 속에 등장하는 해마는 '바다의 신 포세이돈'의 마차를 끈다.

해마의 몸길이는 2cm 이하에서 35cm를 넘는 등 종마다 길이가 다양하며, 몸빛은 환경에 따라 화려한 색에서 수수한 색으로 가지각색의 보호색을 낸다. 수컷이 임신을 하여 새끼를 낳는 특징이 있다. 수컷 해마는 육아낭이 있어서 암컷이 낳은 알을 받아 부화시킨다. 또한 암컷 해마에게 자신의 배를 빵빵하게 부풀리며 구애를 하기도 한다.

마치 카멜레온 처럼 피부색을 주변색과 같이 변화시켜 찾기가 쉽지 않다.

해마의 주둥이는 다른 어류에 비해 거의 직각으로 구부러져 있다. 평상시에는 꼬리를 아래로 머리를 위로한 채 등에 붙어있는 하나의 지느러미를 좌우로 움직여 몸을 곤두세운 채 헤엄치다가, 지치거나 조류라도 느려지면 몸이 떠내려가지 않도록 잘피나 산호가지 등에 꼬리를 감고 매달린다.

해마는 어류 중 유일하게 '일부일처제'라는 특성을 갖고 있다. 한번 짝짓기한 수컷과

글로리아(gloria) 오카리나여

여리다 그러나 단단한
작다 그러나 이 세상 어느 것보다 큰
온 몸으로 품은 후 정성스레 다가가야
거위 발걸음 속에서 비로서
보혈(寶血)*의 음률을 들려 준다는

*보혈(寶血, precious blood):
 예수께서 십자가에서 흘리신 고귀한 피,
 구원의 은혜를 상징

*서혜진 오카리나 전문연주가

[시작(詩作)노트]

《작지만 큰 악기 흙피리 오카리나》

수천년을 땅속에서 숨죽이고 기다리며 나에게 생명을 불어 넣어
줄 장인을 기다렸습니다.

수만년을 허공을 맴돌며 인고하며 나에게 혼을 담아 내어줄
악사를 기다렸습니다. 그리하여 마음껏 목청껏 하늘의 노래를
부르고 싶었습니다.

드디어 인연이 닿아 그 뜨겁디 뜨거운 장작불 가마속에서 더없는
산고를 겪은 후에야 나는 비로서 이렇게 영육을 받아 태어 났습
니다.

이제 나는 자유로운 영혼입니다

이제 나는 훨훨 어디에나 날아갈 수 있는 날개를 단 천상의
오리입니다.

비까번쩍한 악기들의 화사한 모습도 웅장한 자태는 더 더욱
아닐지 모릅니다.

오히려 소박하고 소박합니다

그냥 소담스럽다고 하는것이 더 좋겠네요.

사람이 만든 악기로 사람이 내는 소리라고는 믿을 수 없을만큼

목가적이면서 슬프고 따뜻하면서도 소박하고 친근감 넘치는 깊은 맛이 배여있는 소리를 내는 악기라죠.

고사리 손에서부터 팔순의 어르신까지 남녀노소 구분없이 쉽게 친근감있게 누구에게나 부담없이 다가갈 수 있고 다가올 수 있답니다.

그만큼 문턱을 낮춰 마음만 먹으면 누구와도 쉽게 친해질 수 있다는거죠.

영혼을 울리는 소리를, 음악을 나에게서 듣고자 한다면 관심과 사랑과 열정을 보여 주십시오.

그러면 기대에 어그러짐 없이 어느 악기 못지 않게, 어느 음악 장르마다 않고 다가가서 돌려 드릴 것입니다.

이 작은 물체가 마치 뒤뚱거리는 애기 오리처럼 가냘파 보이시겠지만 덩치 큰 어미 오리도 있어서 때론 작은 오리들의 울이 되어주기도 한답니다.

당신의 그 고운 입술이 나에게 와 닿고, 당신이 그 예쁘기도 투박하기도 한 손 내밀며 정성스레 나에게 다가올 때는 진정으로 원하는 당신의 노래 소리를 들려 드리겠습니다.

훨훨 날아가는 한 마리 오리가 되어 두 날개 활짝 펼쳐 한 점 부끄럼없이 한 점 걸림없이 무한한 우주속으로 날아 오르겠습니다.

세상의 희노애락을 담아서 노래하며 그리하여 그 선율로 인해 세상이 한층 풍요로와지고 한층 행복해질 천상의 소리를 돌려드리겠습니다.

영광과 평화의 소리를 돌려 드리겠습니다. 그것은 나의 영혼과 당신의 영혼이 연인처럼, 절친처럼 두 손 꼭 맞잡은 그때라야 가능할 것입니다.

그때서야 양손 안에 들어오는 작지만 무엇보다 크디 큰 악기라는 사실을 실감할 것입니다.

''나 흙피리 오카리나가 연주하는 음악이 만인을 구원 하리라!''

~~~~~~~~~~

오카리나 찬가

/최진태

하늘엔 영광
땅에는 평화
그 땅위에 흙으로 빚은
두 손안에 꼭 들어오는 악기,

소담하지만 어느것보다
아름다운 소리를
뿜어낼 수 있다는 악기,

겉으로는 허술하게 보이나

속 깊고 알 꽉찬
실로 오묘하기 이를데 없는 악기,

쉽게 보았다간 낭패보기 십상
결코 만만치 않은
허허실실 외유내강 자강불식
(自强不息)*의 표상이다

여리다 그러나 단단한
단순하다 그러나 결코 단순하지 않은
작다 그러나 이 세상 어느 것보다
크디 큰 악기

아무나 쉽게 접할 수 있다
그러나
소홀히 대했다간
결코 속깊은 심지를 헤아릴 수 없다

온 몸으로 품은 후
온 정성을 다해 닦아갈 때에야
뒤뚱뒤뚱 우스꽝스런
거위 발걸음속에서
비로서
온 세상의 소리
온 우주의 소리
온 영혼의 소리
보혈(寶血)의 음률을
접할 수 있다는 악기,

글로리아
오카리나여!

*자강불식(自强不息):
스스로 마음을 굳세게 다지며
쉬지 않고 노력함

신통방통 빵 빵

춥고 배고팠던 시절부터
단맛과 허기를 채워주던
젖과 꿀이 흐르는 달콤한 유혹
풍요 그 자체인 시대에 더 열광하는
심지 깊은 그 맛의 비결은?

[시작(詩作)노트]

'꿀빵'이라고 하면 달콤한 꿀맛이 떠오르지만 사실 통영꿀빵에는 꿀이 없다. 마치 붕어빵에 붕어가 없듯이.

통영꿀빵은 밀가루 반죽에 팥소를 넣고 기름에 튀긴다. 그리고 겉면에 물엿이나 조청과 통깨를 바른 빵이다.

귀했던 꿀대신 서민들은 대체재로 먹었던 감미료를 사용한 것이다. 물엿과 조청의 차이는 물엿은 곡식에서 인위적으로 녹말을 분리하여 당류로 분해한 것이며, 조청은 곡식과 엿기름을 삭혀 만든 전통 감미료이다. 좀 더 원초적인 맛을 원한다면 단연 물엿보다는 조청을 바르른 쪽이다. 이처럼 꿀처럼 달콤하다는 의미로 '꿀빵'이란 이름을 얻었다. 꿀빵은 궁핍하던시절 단맛에 대한 허기를 채워주던 군것질 거리였다. 그런 꿀빵이 달콤한 먹거리가 넘쳐나는 시대에도 이토록 각광받고 있다는게 신통방통 할 따름이다.

꿀빵이 처음나올 당시에는 별다른 달콤한 간식이 없었던 시대이기에 '통영꿀빵'은 금새 인기를 누릴 수 있었다. 포만감이 높아 속을 든든하게 해주었고, 통영의 기후에도 쉬 상하지 않아 오랫동안 보관할 수 있는 장점이 있었다. 특히 여학생들 사이에 인기가 많았다고 한다.

이처럼 '통영꿀빵'이 명성을 얻은 건 얼마되지 않았다. 그 역사는 대략 60여년전 쯤부터 시작되었다. 한국 전쟁 후 미군이 배급해주던 밀가루로, 통영 제과점들이 앞다투어 만들기 시작했다고 전해진다. 그러다 새로운 종류의 빵들이 많이 나오니까 차츰 그 모습을 감췄으나 소롯이 오직 '통영꿀빵' 한 길 만을 고집하며 오늘 날 까지 그 자리를 지키다가 어느 순간 매스컴을 타고나서 부터 엄청난 유명세를 떨치고 있는, 통영을 대표한다는 꿀빵 브랜드가 바로 '오미사 꿀빵'이다. '오미사 꿀빵'의 특징은 튀겨 내도 기름 맛이 안 나는 담백함이 있다고 말한다. 하루에 파는 양도 정해 놓고 있어 늦게 가면 헛걸음을 할 수도 있다는 말에 더욱 소비자를 애타게 하는 매력도 있다.

요즘에는 각각의 상호를 걸고 수공업식으로 생산되는 꿀빵이 허다하다. 그러다보니 맛도 제각각이다. 도넛 속에 넣는 소소도 팥 외에도 고구마, 콩, 밤, 녹차, 견과류 등등의 다양한 재료를 넣은 새로운 꿀빵도 속속 등장하고 있다.

'오미사 꿀빵'의 유명세에 힘입어 이제는 '꿀빵'은 통영을 대표하는 음식의 하나가 되었다. 강구안 문화마당 부근에 근래들어 꿀빵 가게가 즐비하게 들어선 것만 봐도 알 수 있다.

최근 통영을 찾는 여행객들이 손쉽고 간편하게, 큰 비용 부담없는 '통영꿀빵' 한 두 봉지씩은 사들고 가는게 트렌드가 되어 버렸다 는게 또 신통방통할 따름이다. 몇 십년동안 눈이 오나 비가 오나 오직 한 길만을 고집하며 거기에 몰입하다 보면, 어느 순간에는 이렇게 빛을 보게 되나 보다. 또 하나의 장인의 길을 여기서도 보게 된다.